INTRODUCTION

POURQUOI *ISABELLE*?

Tout de suite se posent quelques questions primordiales : pourquoi, vers la fin de sa longue vie, André Gide a-t-il choisi de passer des mois sans interruption à adapter pour l'écran un ouvrage de fiction publié en 1911, dont il avait d'ailleurs décrit la composition comme un simple « exercice pour [se] faire la main »[1]? Plus spécifiquement, pourquoi ce romancier, ce dramaturge, ce polémiste, écrivait-il pour le cinéma entre 1946 et 1949? Et pourquoi a-t-il choisi d'adapter *Isabelle*?

Évidemment il faut chercher dans la vie de l'écrivain, après la Seconde Guerre mondiale, des circonstances propres à fournir des explications. Nous savons, par exemple, quel fut le succès éblouissant, en 1946, de l'adaptation filmique de *La Symphonie pastorale*. Mais le scénario de la *Symphonie* qu'avaient commencé Gide et Pierre Herbart avait été bientôt remplacé par la version bien connue de Jean Aurenche et Pierre Bost[2]. Donc Gide n'avait aucune raison de penser qu'il possédait de grands talents personnels dans le domaine de l'adaptation pour le cinéma.

Mais la passion de Gide pour le cinéma était sans pareille. Spectateur fervent, allant jusqu'à voir plusieurs films par jour, Gide aimait discuter les films qu'il voyait avec les nombreux amis qui partageaient et encourageaient sa passion. De ces amis, le plus important était sans doute le cinéaste Marc Allégret, que Gide avait beaucoup encouragé en achetant l'équipement nécessaire pour le tournage de *Voyage au Congo*, le film qu'Allégret avait entrepris pendant leur fameux voyage de 1925. D'ailleurs, vers le début du cinéma sonore en France, Gide avait même eu brièvement le rêve de former avec d'autres écrivains une société pour la production de films[3]. On sait que Gide avait aidé Allégret pour les dialogues de son *Lac aux dames*[4] (1934) et Françoise Giroud affirme avec quelque autorité que la contribution de Gide au scénario de *Sous les yeux d'Occident* (1936) fut considérable[5]. Alors, peut-il être étonnant qu'André Gide ait été tenté par l'idée d'écrire le scénario pour un film adapté d'*Isabelle*?

On ne sait pas exactement qui a suggéré le premier le projet. Mais avant la fin de 1946 Gide s'était lancé dans la création d'un scénario[6]. Ce ne sera pourtant que pendant le printemps et l'été 1948 que le projet renaît et prend vraiment forme. À divers moments pendant la genèse du manuscrit, Gide fut encouragé par Édouard Gide, son cousin germain, codirecteur d'une maison de production de films, la Société Gibé, la même qui avait tourné la *Symphonie*. Mais en mars 1948 ce fut tout d'abord Marcel Achard qui devait être le collaborateur dans la composition du scénario (p. 89[7]). Puisque le personnage d'Isabelle était « tout entier à créer », ils ne se précipitèrent pas au travail, et ce fut finalement avec Pierre Herbart, l'ancien compagnon du voyage en U.R.S.S. et fréquent visiteur de Gide rue Vaneau, que Gide reprit le travail pendant l'été, au lac de Garde, à Torri del Benaco où le maire avait mis une maison à leur disposition[8]. Confortés par les conseils professionnels d'Allégret qui leur avait par hasard rendu visite, ils continuèrent leur « travail passionnant » à Grasse, en septembre[9]. Ils étaient enfin prêts à montrer leur scénario à Édouard Gide (p. 111[7]).

Il n'est pas surprenant qu'Édouard Gide considérât *Isabelle* comme une suite logique de *La Symphonie pastorale*. (Il est même envisageable que ce fut l'insistance initiale du cousin de l'écrivain qui apporta la plus grande inspiration aux collaborateurs.) Car l'action des deux récits a lieu dans un paysage d'une froideur ou d'une grâce quasi austère où un narrateur

IV

naïf décrit des passions violentes mais réprimées capables de susciter la souffrance ou la mort. En effet, les ressemblances entre ces deux textes ont incité les maisons Cassell et Knopf à publier leur traduction anglaise ensemble sous la même couverture avec le titre *Two Symphonies*[10]. Le défi lancé à l'adaptateur filmique d'*Isabelle* par la présence d'un narrateur à la première personne ne pouvait plus être un obstacle après le triomphe de *La Symphonie pastorale*. Dans ce film le rôle narratif du Journal du pasteur avait été simplement supprimé. D'ailleurs, chez l'actrice lumineuse, Michèle Morgan, on pouvait facilement reconnaître une virtuosité susceptible de représenter la vulgarité d'Isabelle d'une façon aussi convaincante que la vertu de Gertrude, l'aveugle de la *Symphonie*.

Il se peut qu'une autre considération ait encouragé Gide à entreprendre le projet. Et ce fut une considération à la fois politique et personnelle. N'aurait-il pas vu chez l'héroïne de son récit de 1911 des qualités et des problèmes qui n'étaient pas énormément différents de ceux de la jeunesse de cette France de 1946? Le problème moral que présente l'Isabelle de 1911 n'est-il pas l'abus d'une liberté excessive par une jeune fille impétueuse? Un des problèmes de l'après-guerre n'était-il pas l'emploi raisonnable d'une nouvelle liberté retrouvée après de longues années de guerre et de contrainte? Comment Gide pouvait-il penser à *Isabelle* sans penser à sa propre fille qui, âgée de 23 ans en 1946, était sans doute, à un certain degré, semblable à ces jeunes personnes?

Alors, au vu de quelques-unes de ces raisons professionnelles et personnelles, il n'est pas après tout si surprenant qu'André Gide ait choisi de consacrer tant de temps à un scénario tiré d'*Isabelle*. Mais ce qui peut nous sembler étonnant de nos jours, c'est le fait que Gide ait éprouvé tant de difficultés dans cette entreprise.

C'est une lecture du découpage d'un autre scénario d'*Isabelle*, celui d'un téléfilm tourné pour la deuxième chaîne de télévision en 1970, qui souligne la complexité de la tâche conçue par André Gide. Car l'auteur de ce deuxième scénario, Jean-

Jacques Thierry, s'est très peu éloigné du texte écrit par Gide en 1911[11]. Par exemple, dans la description des décors inclus dans son découpage, Thierry cite mot à mot des phrases et des paragraphes du roman. Comme dans le récit de Gide, c'est un narrateur, le jeune chercheur Gérard Lacase, qui raconte l'histoire en voix *off* — des passages tirés directement de Gide — pendant que les images pertinentes se déroulent sur l'écran. L'ordonnance des événements est celle de l'œuvre romanesque, et presque nul épisode n'y manque. (Thierry réduit quelques dîners à un seul dîner que la voix de Gérard décrit comme typique de cette vie de château grotesque et mystérieuse.) Le dialogue des personnages de Thierry reste précisément celui des personnages du récit.

Le succès considérable de cette adaptation de Jean-Jacques Thierry est dû sans doute au fait qu'il a respecté le récit original et n'a presque rien inventé dans son scénario. Et n'ayant pas consulté le scénario composé par Gide qui était scrupuleusement conservé vers cette époque dans deux collections privées, Thierry n'en a pu subir aucune influence. La version de Thierry est donc un modèle d'une extraordinaire fidélité à une seule source, le récit de Gide, qui était miraculeusement un scénario presque tout fait. En revanche, le pauvre Gide est resté aveugle, semble-t-il, à la possibilité d'adapter son récit pour l'écran sans presque rien y changer. Pendant la genèse de son scénario, pas simplement au début mais même jusqu'en 1949, il écrivait régulièrement à ses correspondants que dans cette entreprise problématique, « *tout était à inventer* »[12].

Mais il ne faut pas imaginer un Gide naïf et inutilement travailleur. Il est plus vraisemblable que Gide reconnaissait qu'il ne pourrait pas rester satisfait d'une adaptation exacte d'un ouvrage qu'il avait écrit plus de quarante ans auparavant et qu'il ne comptait pas parmi ses plus importants. Non, c'était un nouvel ouvrage que Gide créait avec ce scénario, et toute la gymnastique créatrice exigée par cette nouvelle transposition d'une vieille histoire lui semblait sans doute valoir la peine.

VI

Dans son récit, Gide avait surtout réussi à démontrer une illusion pathétique développée dans l'imagination de son narrateur-protagoniste, le jeune Gérard Lacase, qui se rend dans un château, à la campagne, pour faire des recherches dans une collection de manuscrits conservée par un certain M. Floche[13]. Peu à peu ses intérêts intellectuels sont supplantés par son désir de résoudre le mystère de la belle dame, mère d'un jeune garçon estropié, qui ne vient que rarement au château pour demander de l'argent à sa vieille mère bizarre — parfois même sans voir son fils. Finalement, Gérard voit disparaître dramatiquement son illusion d'une belle dame parfaite quand il rencontre (dans le dernier chapitre) cette femme, dont un portrait, une lettre cachée et un mystérieux retour nocturne avaient inspiré le rêve. L'absence physique d'Isabelle dans la majeure partie du roman laisse indiscutablement la place principale à Gérard Lacase. En effet, un lecteur du récit n'aurait pas tort en se demandant pourquoi Gide a accordé comme titre à son roman le prénom de son héroïne plutôt que celui de son héros.

Pourtant, le scénario dactylographié de Gide et Herbart ne laisse aucun doute : le film qu'ils concevaient devait être l'histoire d'Isabelle. Après dix-neuf pages de scénario (une vingtaine de minutes de film) qui suit assez fidèlement les premiers chapitres du récit, Gérard trouve un Journal d'Isabelle qu'elle avait écrit quand elle avait dix-huit ans. Le spectateur doit croire que Gérard passe toute une nuit à lire le Journal dont les événements sont présentés sous la forme d'un retour en arrière (les pages 20 à 72 d'un scénario dactylographié — donc environ cinquante minutes du film éventuel). Pendant toutes ces cinquante minutes (ou plus de la moitié du film), Gérard serait absent de l'écran. Le retour en arrière se concentre d'abord sur un bal projeté par la famille d'Isabelle pour fêter ses dix-huit ans et pendant lequel elle fait la connaissance du jeune et vigoureux Gaston de Gonfreville (qui remplace *très* physiquement ici *Blaise* de Gonfreville, le malchanceux amant qui n'est jamais « vu » dans le récit de 1911).

Le scénario contient d'autres changements qui intéresseront les lecteurs du récit. Dans le scénario, le laquais, Gratien, est beaucoup plus jeune que dans le roman et, manifestant franchement son amour pour la jeune Isabelle, fille de son employeur, fournit un écho de l'intrigue de *Mlle Julie* de Strindberg[14]. Gide ajoute aussi parmi les personnages secondaires un préfet, rival de Gaston pour la main d'Isabelle. Ce veuf solennel, père d'un jeune homme de la génération d'Isabelle, est dramatiquement opposé à Gaston dont l'impétuosité est même dépassée par celle d'une Isabelle déchaînée.

Dans le roman, le crime dont Gérard apprend les détails avait eu lieu plus de quatorze ans avant l'été des années 1890 où Gérard raconte son histoire. Isabelle de Saint-Auréol et *Blaise* de Gonfreville étaient donc des jeunes amants du XIXe siècle. Pour les spectateurs du 7e Art, Gide fait de sa nouvelle Isabelle et de son *Gaston* de Gonfreville des amants d'un siècle plus moderne, car le Journal d'Isabelle révèle que la date de son dix-huitième anniversaire est le 12 juin 1908. Cette modernisation de l'action sert à expliquer plus que jamais la banqueroute de la famille Saint-Auréol, qui comme d'autres familles nobles fut incapable de s'adapter aux besoins financiers du XXe siècle. Mais malgré le fait qu'encore une fois un passage de quatorze ans sépare le crime du premier séjour de Gérard au château La Quartfourche (en 1922), le scénario ne mentionne nullement, ni la Première Guerre mondiale, ni les conséquences éventuelles d'un tel phénomène historique dans la vie de ses personnages. Tant pis pour l'actualité!

Le scénario souligne toutefois davantage le côté criminel et judiciaire de son intrigue. Dans le récit, le lecteur est peu conscient des problèmes de justice. Le meurtre de Blaise de Gonfreville avait eu lieu longtemps avant la première visite de Gérard au château et même plus longtemps avant son récit. Donc le crime n'est qu'indirectement évoqué, comme les autres détails découverts par Gérard. Mais entre la composition de son récit en 1911 et celle de son scénario en 1946, André Gide était devenu un Citoyen du Monde beaucoup plus responsable[15]. La structure du scénario l'oblige à faire face à la question de la punition de la coupable, et il ne recule pas. En effet, Gide invente des scènes d'une satire impitoyable où il ne cache rien des avantages injustes des familles privilégiées du début du siècle ni de l'hypocrisie du système judiciaire. Cette partie du scénario est si fortement écrite qu'elle risque de placer le film imaginé dans une tout autre catégorie — celle du « film noir ». En même temps, toute cette thématique rappelle un portrait d'une famille assez semblable dans l'adaptation filmique qu'a écrite Jean Renoir de *La Séquestrée de Poitiers* de Gide en 1934 et 1935 et que Gide avait sans doute lue[16].

C'est surtout dans le domaine de la comédie de mœurs que le mérite du scénario se fait voir le plus clairement. Par exemple, les scènes de bal permettent aux écrivains de créer toute une foule d'invités dont ils font la satire avec la même vigueur que Gide dans sa présentation du salon d'Angèle dans *Paludes*. Le succès de ces scènes satiriques subtilement développées est d'autant plus remarquable que la comédie de mœurs n'est guère un genre qu'on associe spontanément avec la carrière de Gide. Mais son art ici peut être comparé sans doute à quelques scènes d'une complexité semblable chez Jean Renoir (*La Règle du jeu*, 1939) et Orson Welles (*La Splendeur des Amberson*, 1942). Comme le bal, l'épisode du « rallie-papier » est une invention toute neuve pour le film. Le manuscrit révèle que ces scènes du « rallie-papier » ont été moins travaillées que celles du bal, mais la notion de filmer un « rallie-papier », à l'époque assez originale pour éviter toute possibilité de banalité, fournit un cadre exceptionnel pour que les jeunes gens y consomment leur amour.

La dernière partie du scénario dactylographié (pages 72 à 89 soit environ dix-sept minutes à l'écran) présente les événements qui entourent le fameux retour nocturne d'Isabelle et la scène des bagues. Changeant rapidement de lieu, des scènes brusquement coupées démontrent que les collaborateurs savaient magistralement monter une série de scènes simultanées. Le scénario se termine avec le départ de Gérard qui, grâce à des circonstances ironiques, quitte le château sans avoir rencontré Isabelle. Celle-ci, ayant appris de son fils que le beau Gérard, qu'elle vient d'entrevoir, avait admiré son portrait, reste rêveuse, murmurant son nom dans l'avant-dernier plan du film. Donc, en supprimant la rencontre de Gérard et d'Isabelle, épisode qui joue un rôle capital dans le roman, le scénario met l'accent sur l'ironie. En effet, les écrivains renversent tout à fait la donnée du récit selon laquelle c'est uniquement Gérard qui s'intéresse follement à une Isabelle imaginaire. Au lieu de cela, ils créent une Isabelle qui, voyant Gérard pour la première fois, s'éprend elle aussi immédiatement de lui. C'est jusqu'à ce degré-là — à un dédoublement inattendu — que « l'illusion pathétique » du récit a évolué dans le nouveau texte. Mais en rendant plus ironique la déception des personnages principaux, le scénario prive le spectateur du plaisir éventuel de voir ces rêveurs ensemble. C'était un geste courageux de la part des écrivains qui ont ainsi inventé une démarche qui restera unique dans le cinéma populaire jusqu'au film de Joseph Losey, *Le Messager* (1971).

André Gide et Pierre Herbart auraient donc eu pas mal de raisons pour être fiers de leur travail. Mais après la composition des dernières scènes pendant l'automne de 1948 à Grasse, ils reconnurent que Marc Allégret était trop occupé et Édouard Gide trop incertain pour entreprendre le tournage d'*Isabelle*. Jean Cocteau étant un metteur en scène possible, c'est à Melun, chez Cocteau, que Pierre Herbart et André Gide se rendirent en décembre 1948, le scénario sous le bras. Gide était énormément intrigué par le choc que pourrait créer chez le public une collaboration éventuelle entre Cocteau et lui-même (p. 117[7]). Cocteau les reçut avec enthousiasme, mais en lisant le scénario il déclara bientôt qu'il le trouvait « médiocre »[17], et que d'ailleurs le public de Gide préférerait de lui quelque chose s'apparentant plutôt à l'esprit des *Caves du Vatican* ou des *Faux-monnayeurs*.

Une deuxième rencontre eut lieu à Paris, chez Gide rue

Vaneau, où Michèle Morgan vint se joindre à l'équipe Cocteau-Gide-Herbart[18]. Dans une conversation téléphonique, en juin 1986, Mme Morgan a partagé avec nous ses souvenirs de cette réunion. Elle s'est rappelé que Gide avait lu tout le texte de son scénario en interprétant tous les rôles comme il espérait les voir jouer dans le film à venir. Ceux qui étaient présents à ce spectacle firent un grand effort pour ne pas rire — surtout pendant la lecture enthousiaste de la scène des bagues, scène inoubliable pour toute actrice qui aurait le privilège de jouer le rôle de l'extraordinaire Baronne de Saint-Auréol... Mais malgré la bonne humeur — et l'humour — de cette deuxième rencontre, Cocteau ne changea point d'avis[19].

Quelques mois plus tard, quand Jean-Louis Barrault vint annoncer à Gide qu'il voulait créer une nouvelle firme de cinéma où il serait lui-même le maître absolu, une compagnie dont *Isabelle* serait peut-être un des premiers films, l'acteur-metteur en scène fut étonné d'apprendre de son interlocuteur qu'un scénario d'*Isabelle* existait déjà. Édouard Gide confessa tout de suite qu'il ne serait pas du tout triste de passer le projet à Barrault (p. 130[7])[20]. Mais celui-ci n'y donna pas suite.

Ce scénario d'*Isabelle*, qui a vu la collaboration réelle de Gide, de Pierre Herbart et de Marc Allégret aussi bien que la participation virtuelle de Marcel Achard, de Jean Cocteau, de Michèle Morgan et de Jean-Louis Barrault, est donc resté dans un tiroir sans soulever d'intérêt jusqu'à une époque récente. C'est regrettable, d'autant plus que le scénario nous semble un tour de force d'adaptation pour le cinéma de son époque[21]. Après tout, les collaborateurs avaient pris l'histoire d'un jeune homme doué d'un caractère excessivement rêveur, sensible et idéaliste pour créer le drame de la quête du bonheur, quête destructrice entreprise par une femme égoïste et presque sans cœur. Ils avaient remplacé un décor sentimental et doucement désuet par une communauté plus réelle et plus consciente de sa culpabilité. Ils avaient créé des caractères plus complets, une intrigue plus complexement ironique. Ils surprennent avec un mélange des genres — du comique au policier. Ils nous éblouissent avec la virtuosité du rythme des scènes, de leur dénouement.

On pourrait même dire que les transformations que le scénario de 1949 apporte au récit de 1911 sont aussi étonnantes que celles que Cocteau réalisait au même moment pour l'adaptation cinématographique de sa pièce de 1926, *Orphée*. Telle était dans les deux cas l'étendue des différences entre le scénario et la source littéraire. Il est étonnant que cette virtuosité se soit révélée si tard et si intensément dans la carrière de Gide ! Est-il possible que la rivalité perpétuelle entre Gide et Cocteau ait contribué au jugement négatif de celui-ci ? En tout cas, la publication actuelle du scénario donne l'occasion à d'autres lecteurs de l'évaluer. Ils voudront peut-être contester l'opinion de Gide et d'Herbart eux-mêmes qui, selon Mme Catherine Gide, n'étaient pas en fin de compte tout à fait satisfaits de leur création.

Surpris par la qualité et *l'originalité* du scénario, on est tenté de supposer que ses mérites viennent surtout ou même exclusivement de la contribution de Pierre Herbart. Heureusement des documents existent qui permettent de préciser le rôle qu'Herbart a joué dans la création du scénario. Car bien que nous présentions textuellement le scénario dactylographié (le découpage complet) qui se trouve dans la collection de Mme Catherine Gide, il existe aussi un manuscrit autographe de 122 feuilles conservé dans le Département des Arts du Spectacle à la Bibliothèque de l'Arsenal[22]. Ce dernier manuscrit (antérieur et incomplet) est de la main inimitable d'André Gide et est surtout constitué de dialogues. Mais on y trouve parfois l'écriture d'Herbart[23]. Les neuf interventions de celui-ci servent presque toujours à améliorer la cohérence de l'action ou des répliques. Mais un seul long passage écrit exceptionnellement en colonnes semble avoir servi à exposer à Gide une méthode plus professionnelle de présenter un scénario. C'est cette méthodologie qui a été appliquée partout dans le découpage complet que nous publions. D'ailleurs, ce n'est que dans le découpage dactylographié que l'on trouve des descriptions détaillées des actes et des gestes des personnages. On peut donc conclure que la contribution spécifique de Pierre Herbart se trouve, son encouragement mis à part, dans le domaine de la composition d'indications scéniques ou dans la présentation plutôt professionnelle du découpage final. Mais il faut reconnaître que la dactylographie impeccable du découpage est sans doute celle de la secrétaire de Gide de l'époque, Mme Yvonne Davet. (Son successeur, Mme Béatrix Beck, nous assure qu'il ne fut pas question du scénario d'*Isabelle* pendant qu'elle travaillait pour Gide en 1950.) Nous identifions les interventions de la main de Pierre Herbart dans les notes qui accompagnent le texte.

Nous avons déjà mentionné que le manuscrit autographe de la Bibliothèque de l'Arsenal est incomplet. Mais il faut ajouter qu'il contient pourtant trois scènes qui ne se trouvent pas dans le découpage final. Il existe, par exemple, une sorte d'épilogue où, quelques jours après le départ de Gérard, Isabelle fait écrire à Casimir une lettre où celui-ci invite avec ferveur Gérard à revenir au château... Les deux autres scènes illustrent clairement la vie scandaleuse de l'héroïne dans un monde de gigolos et d'hôtels borgnes. Dans l'une de ces scènes, un gigolo exprime son mécontentement du « cadeau » qu'Isabelle vient de lui offrir. Dans l'autre, un notaire propose d'épouser Isabelle et de s'occuper d'elle, malgré les indiscrétions bien connues sur son passé. Ces incidents, dignes de la Blanche Dubois d'*Un Tramway nommé Désir*, évoquent la nymphomanie de l'héroïne de Tennessee Williams en même temps qu'ils rappellent le dénouement de la pièce où Blanche, accompagnée à un asile par un vieux monsieur, compte encore une fois sur la gentillesse d'un inconnu... En supprimant ces deux scènes, Gide s'est apparemment repenti de la présentation explicite de toute aventure d'Isabelle qui aurait lieu en dehors de la Quartfourche. On trouvera ces trois scènes dans les Appendices.

Une dernière question se pose. Pourquoi a-t-on dû attendre si longtemps la publication de ce scénario qui monopolisa la force créatrice d'André Gide pendant une période si prolongée? Premièrement, on peut noter qu'il n'aurait jamais été question de le publier pendant la vie de Gide. Insuffisamment encouragé par Cocteau et d'autres, Gide n'en était pas assez fier pour l'exposer à son public. D'ailleurs, on n'était pas encore accoutumé à publier des scénarios — surtout de films qui n'avaient pas été tournés. Et cette hésitation à publier de tels ouvrages allait continuer pendant quelques lustres — jusqu'à nos jours.

Il existait aussi quelque mystère concernant le manuscrit. Où se trouvait-il? Par exemple, en parlant de l'existence du scénario d'*Isabelle* dans les notes qui accompagnent le récit dans l'édition de la « Bibliothèque de la Pléiade » de 1958, Yvonne Davet omet de nous dire que le manuscrit qu'elle avait sans doute tapé se trouvait dans la collection privée de Mme Gide. Plus tard, quand des chercheurs ont vu le téléfilm de Roux et Thierry, quelques-uns ont incorrectement conclu que ces messieurs avaient fondé leur adaptation sur le scénario qu'avait écrit Gide. Et ce téléfilm ne s'inspirait pas suffisamment du récit pour susciter un intérêt envers le manuscrit. C'est la raison pour laquelle, en général, les chercheurs gidiens ne manifestèrent pas d'enthousiasme en apprenant que le manuscrit autographe qui s'était trouvé dans une collection privée (celle du Colonel Daniel Sickles) avait été vendu en 1983 dans une vente aux enchères à un acheteur non identifié (qui était en réalité la Bibliothèque Nationale). Sans être immédiatement catalogué à la Bibliothèque Nationale, ce manuscrit resta quelque temps presque impossible à trouver. Donc pour plusieurs raisons, tout en devenant enfin en principe disponible pour les chercheurs, ce scénario passionnant fut condamné à demeurer longtemps presque sans lecteurs.

Nous voudrions remercier vivement Mme Emmanuelle Toulet de la Bibliothèque de l'Arsenal pour la généreuse assistance qu'elle nous a offerte pendant la préparation de cette édition. Mmes Béatrix Beck et Michèle Morgan et M. Jean-Jacques Thierry nous ont fourni des précisions très utiles. MM. Jacques Cotnam, André Gaudreault, Pierre Masson et Dominique Rebodeau nous ont offert leurs précieux conseils.

Nous remercions Mme Catherine Gide de nous avoir donner l'autorisation de publier cet ouvrage.

C. D. E. TOLTON
(*Victoria Collège, University of Toronto*)

1. Propos rapporté par Charles Du Bos dans *Le Dialogue avec André Gide* (Paris, Au Sans Pareil, 1929), p. 163.

2. L'adaptation de *La Symphonie pastorale* préparée par Gide et Herbart est publiée dans l'édition critique du récit par Claude Martin (Paris, Lettres Modernes, « Paralogue » 4, 1970), pp. 179–218. Le scénario de *La Symphonie pastorale* par Bost et Aurenche a été imprimé dans *Le Monde illustré théâtral et littéraire*, n° 17 (17 janv. 1948), pp. 1–37 avant d'être repris en volume (Paris, La Nouvelle Édition, 1948).

3. Pour des détails concernant l'histoire de cette entreprise qui prit comme titre officiel « Film Parlant Français », voir Daniel DUROSAY, « Le Film Parlant Français. FPF et NRF : L'Eldorado du cinéma » (*Bulletin des Amis d'André Gide*, n° 98, avril 1993, pp. 263–77). Pour une étude plus globale des activités de Gide par rapport au cinéma, voir C.D.E. TOLTON, « André Gide et le cinéma », *Ciné-Mémoire*, Catalogue du Festival International de Films Retrouvés et Films Restaurés (Paris, Cinémathèque française, 1993), pp. 198–202.

4. Voir Alain *et* Odette VIRMAUX, « Colette et *Lac aux dames* », *Avant-Scène cinéma*, n° 284, 15 mars 1982, pp. 4–7, pages reprises de leur *Colette au cinéma* (Paris, Flammarion, 1975), pp. 129–36.

5. Françoise GIROUD, *Si je mens* (Paris, Stock, 1973), p. 32, avec des développements dans Serge SANCHEZ, « Les *Faux-monnayeurs* au cinéma, un entretien avec Françoise Giroud », *Magazine littéraire*, n° 306, janv. 1993, pp. 42-3. Dans cette entrevue, l'ancienne scripte de Marc Allégret parle surtout de sa composition du scénario pour le film des *Faux-monnayeurs* que tournait Agnieszka Holland à peu près à ce moment-là.

6. André G<small>IDE</small>, *Journal 1939–1949 ; Souvenirs* (Paris, Gallimard, « Bibl. de la Pléiade », 1954), p. 306.

7. Maria V<small>AN</small> R<small>YSSELBERGHE</small>, *Les Cahiers de la Petite Dame*, t. IV (Paris, Gallimard, 1977).

8. Jean L<small>AMBERT</small>, *Gide familier* (Paris, Julliard, 1958), p. 123.

9. André G<small>IDE</small> *et* Roger M<small>ARTIN</small> <small>DU</small> G<small>ARD</small>, *Correspondance (1913–1951)*, t. 2 (Paris, Gallimard, 1968), p. 426.

10. Traductions par Dorothy B<small>USSY</small> (London, Cassell ; New York, Knopf, 1931). L'année suivante les Éditions Gallimard publièrent les deux récits ensemble en français pour la première fois.

11. On trouvera un exemplaire dactylographié du scénario de Thierry dans la Collection de la Télévision française conservée à la Bibliothèque de l'Arsenal à Paris. Apparemment, on a imprimé 72 exemplaires de ce texte de 140 pages. Le réalisateur du téléfilm, qui fut diffusé la première fois le 24 février 1970 sur la deuxième chaîne de télévision, était Jean-Paul Roux. Le téléfilm fut rediffusé sur la troisième chaîne, le 1<small>er</small> septembre 1979 et peut être visionné aujourd'hui dans les Archives de la Télévision, l'Institut National de l'Audiovisuel, à Bagnolet, où nous l'avons vu en août 1989. Voir aussi : la liste d'articles et de comptes rendus publiés concernant les diffusions du téléfilm dans Jean L<small>EFEBVRE</small>, « État présent des études sur *Isabelle* », *Bulletin des Amis d'André Gide*, n° 86–87, avril–juil. 1990, p. 207. Thierry parle de la genèse de son téléfilm dans « André Gide à la télévision » dans le même bulletin, pp. 194–7.

12. Voir, par exemple, Dorothy B<small>USSY</small> *et* André G<small>IDE</small>, *Correspondance (1918–1951)*, t. III (Paris, Gallimard, 1982), p. 500.

13. Consulter le récit dans André G<small>IDE</small>, *Romans, récits et soties, œuvres lyriques* (Paris, Gallimard, « Bibl. de la Pléiade », 1958), pp. 599–675 ou dans l'édition « Folio ».

14. Il n'y a aucune certitude que Gide ait connu cette pièce.

15. On pense à ses activités humanitaires en Afrique, à l'intérêt qu'il porta aux problèmes soviétiques, ou à la pensée féministe de la trilogie de *L'École des femmes*.

16. Voir le scénario dans Jean R<small>ENOIR</small>, *Œuvres du cinéma inédites* (Paris, Gallimard, 1981), pp. 17–36. C'est Yves Allégret, frère cadet de Marc, qui avait le premier (en 1934) suggéré une adaptation cinématographique de *La Séquestrée de Poitiers*, mais ce fut la proposition postérieure de Marianne Oswald, l'actrice-chanteuse qui voulait interpréter la séquestrée, qui incita Gide à prendre cette idée au sérieux. Voir Maria V<small>AN</small> R<small>YSSELBERGHE</small>, *Les Cahiers de la Petite Dame*, t. II (Paris, Gallimard, 1974), p. 501.

17. Cité par Arthur K. P<small>ETERS</small>, *Jean Cocteau and André Gide: An Abrasive Friendship* (New Brunswick [NJ], Rutgers University Press, 1973), p. 197.

18. Voir une note de Jean-Jacques K<small>IHM</small> dans Jean C<small>OCTEAU</small>, *Lettres à André Gide avec quelques réponses d'André Gide* (Paris, La Table Ronde, 1970), p. 192.

19. M<small>me</small> Morgan a plus récemment partagé les mêmes souvenirs avec Henri Heinemann dans un entretien qu'il a rapporté sous le titre « À propos de *La Symphonie pastorale* : Entretien avec Michèle Morgan », *Bulletin des Amis d'André Gide*, n° 85, janv. 1990, pp. 11–3.

20. Barrault avait déjà monté *Hamlet* dans la traduction de Gide au Théâtre Marigny en novembre 1946. D'ailleurs, Barrault et Gide avaient aussi collaboré à

l'adaptation théâtrale du *Procès* de Kafka que Barrault mit en scène au même théâtre en octobre 1947.

21. Pour les idées de Gide sur l'adaptation cinématographique et d'autres théories gidiennes du cinéma, consulter : C.D.E. TOLTON, « Réflexions d'André Gide sur le cinéma », *Bulletin des Amis d'André Gide*, n° 92, janv. 1992, pp. 61–71.

22. Nous racontons ailleurs les péripéties de notre découverte de ces deux documents. Voir C.D.E. TOLTON, « A Lost Screenplay Unearthed: André Gide's *Isabelle* », *Modern Language Review*, Vol. 88, no. 1, Jan. 1993, pp. 84–90.

23. Mme Catherine Gide a aimablement vérifié en automne 1993 que l'écriture est bien celle d'Herbart.

ISABELLE

Scénario d'André Gide et de Pierre Herbart d'après le récit (1911) de Gide portant le même titre.

Les dialogues et quelques indications scéniques furent écrits par Gide avec l'intervention (rare) de la main de Pierre Herbart à Genève, à Torri del Benaco (près de Vérone), à Grasse, et à Paris entre 1946 et 1949.

On trouve ici le découpage « définitif », version dactylographiée, où les précisions pour les décors, pour le jeu des acteurs et pour le tournage du metteur en scène ont été, semble-t-il, établis par Herbart.

Le texte conserve aussi quelques retouches et repentirs de la main de Gide, que l'on trouve dans les marges du découpage dactylographié.

UNE NOTE SUR LES NOTES

Les notes qui accompagnent le texte servent à démontrer la nature de la collaboration entre André Gide et Pierre Herbart. Elles présentent surtout des variantes — de deux sortes.

D'une part, il s'agit des neuf interventions de la main d'Herbart dans le manuscrit autographe qui est, ces interventions à part, exclusivement de la main de Gide.

D'autre part, nous identifions les nombreuses retouches proposées, après coup, de la main même de Gide, en marge du découpage « définitif » dont Herbart semble avoir surveillé la présentation dactylographiée. On ne peut pas savoir si Herbart a approuvé (ou même vu) ces derniers repentirs marginaux.

On n'a pas essayé de préciser ici les différences entre le récit de 1911 et ce scénario, sujet dont les lignes principales sont tracées dans notre introduction. On préfère reconnaître que le scénario est un nouvel ouvrage dans le corpus d'André Gide, fait incontestablement souligné par la signature d'un collaborateur.

En général, on ne discute pas non plus les brouillons multiples de plusieurs scènes réécrites qui se trouvent dans le dossier du manuscrit autographe à la Bibliothèque de l'Arsenal. Notre but a été plutôt de rendre accessible le texte du scénario dans un format aussi compact et définitif que possible, tel que ses auteurs l'auraient sans doute préféré. L'édition critique de versions antérieures rejetées par leurs auteurs n'était pas notre propos ici.

Cela dit, on a fait exception pour les trois scènes retranchées du découpage définitif. Elles sont présentées, telles qu'on les trouve dans le manuscrit autographe, comme appendices plutôt que notes. Leur originalité fait rêver à la direction de l'intrigue qu'à un moment donné Gide et Herbart avaient voulu voir leur scénario prendre... Impossible de les négliger !

Les renvois au texte *Isabelle* se font à l'édition de la « Bibliothèque de la Pléiade » (*Romans, récits et soties, œuvres lyriques* [Paris, Gallimard, 1958]).

2

DÉCOR

L'essentiel de l'action a lieu aux environs du château de la Quart-fourche en Normandie. L'action commence en 1922 avec un long retour en arrière à l'été 1908.

PERSONNAGES PRINCIPAUX

GÉRARD LACASE, jeune chercheur.
ISABELLE DE SAINT-AURÉOL, jeune femme belle et mystérieuse.
Mlle OLYMPE VERDURE, ancienne gouvernante et confidente d'Isabelle.
LE BARON NARCISSE DE SAINT-AURÉOL, père d'Isabelle et propriétaire (presque ruiné) du château de la Quartfourche.
LA BARONNE HORTENSE DE SAINT-AURÉOL, épouse de ce dernier.
MADAME FLOCHE, sœur cadette de Mme de Saint-Auréol.
MONSIEUR ANSELME FLOCHE, mari de Mme Floche, et érudit qui entretient la Quartfourche.
LE COMTE GASTON DE GONFREVILLE, jeune homme, voisin des Saint-Auréol.
GRATIEN, domestique fidèle des Saint-Auréol.
CASIMIR DE SAINT-AURÉOL, fils d'Isabelle.
L'ABBÉ SANTAL, instituteur de Casimir.
UN PRÉFET.
LE FILS DU PRÉFET.
UN JUGE D'INSTRUCTION.
UN GREFFIER.

FIGURANTS

Invités au bal des Saint-Auréol, participants au « rallie-papier » des Gonfreville, etc.. Quelques-uns de ces individus (*e.g.*, un général, un poète, un érudit) auront leurs propres répliques.

3

ISABELLE

Décor. Un quai de gare dans une petite ville. La nuit.

Le train qui vient d'arriver souf-
fle encore des jets de vapeur.

*Bruits de la vapeur un peu essouf-
flée, allant decrescendo*

Un homme, valise à la main,
paraît chercher quelqu'un sur le
quai désert. C'est alors que vient
à sa rencontre une sorte de pay-
san en livrée. Il hésite un instant.

GRATIEN. — Monsieur Lacase?

Gérard lui tend sa valise et le suit
vers la sortie.
(On n'a encore vu Gérard que de
dos, ou le visage noyé d'ombre.
On ne distinguera ses traits qu'à
l'arrivée au château.)

Décor. La petite place devant la gare.

Gratien se dirige vers un landau
délabré. Haridelle. Gratien ouvre
la portière et quand Gérard
monte, tous les ressorts de la voiture fléchissent. Au moment où
la voiture démarre, Gérard veut
baisser la vitre de la portière. La
vitre tombe d'un seul coup et la
poignée de cuir lui reste dans la
main.

Décor. La route, luisante encore d'une récente pluie.

Coassements de grenouilles.

La voiture s'arrête brusquement. Gérard met la tête à la portière et voit, à la lueur de la lanterne Gratien qui raccommode avec un bout de ficelle une pièce du harnais.

GÉRARD. — Le cuir est un peu vieux.
GRATIEN *(hargneux)*. — Dites donc : c'est déjà bien qu'on ait pu venir vous chercher.

Toute cette conversation, Gérard penché à la portière et Gratien raccommodant le harnais.

GÉRARD. — Il y a loin d'ici le château ?
GRATIEN. — Pour sûr qu'on ne fait pas le trajet tous les jours ! Voilà peut-être bien six mois qu'elle n'est pas sortie, la calèche.
GÉRARD. — Ah !... Vos maîtres ne se promènent pas souvent ?
GRATIEN. — Vous pensez ! Si l'on n'a pas autre chose à faire !

Le harnais est réparé. La voiture repart péniblement, cahotant. Le cheval peine.

Coassements.

Au bout d'une montée plus raide, la voiture s'arrête de nouveau. Gratien vient ouvrir la portière.

GRATIEN. — Si monsieur voulait bien descendre. La côte est un peu dure pour le cheval.

Tous deux montent à pied, Gratien tenant le cheval par la bride.

GRATIEN. — On est bientôt rendu. Tenez : voilà le parc.

6

On distingue une sombre masse d'arbres.

Décor. La voiture est arrêtée devant un perron de trois marches. Façade du château à peine distincte.

Sur le perron, une femme sans âge, sans grâce et médiocrement vêtue, tient à la main un flambeau dont elle rabat la lumière sur Gérard qui gravit les marches.

GÉRARD. — Madame Floche, sans doute?

Mlle V.. — Mademoiselle Verdure simplement. M et Mme Floche sont couchés. Ils vous prient d'excuser s'ils ne sont pas là pour vous recevoir, mais on dîne de bonne heure ici.

Ils sont entrés dans le château.

Décor. Une vaste salle à manger.

GÉRARD. — Vous-même, Mademoiselle, je vous aurai fait veiller bien tard.

Mlle V. *(un peu brusque).* — Oh! moi, cela n'a pas d'importance. Vous serez peut-être content de prendre quelque chose?

Elle désigne la table au bout de laquelle est disposé un médianoche sur une serviette.

Il prend place.

GÉRARD. — Ma foi, je vous avoue que je n'ai pas dîné.

7

Mlle V.. va s'asseoir de biais sur une autre chaise, près de la porte. Reste silencieuse, les yeux baissés, les mains croisées sur les genoux. Gérard, oppressé par ce silence, met les bouchées doubles. La porte du vestibule s'ouvre. Entre l'Abbé (55 ans). Cheveux gris, figure rude mais agréable. Il se dirige, la main tendue, vers Gérard qui se lève.

Il se tourne avec un sourire malicieux vers la chaise où Mlle V.. fait visage de bois.

Il s'incline cérémonieusement devant Olympe qui se lève et lui fait une révérence écourtée.

Mlle V.. — À cette heure le fourneau est éteint. Il faut se contenter de ce qu'on trouve.
GÉRARD. — Mais tout cela m'a l'air excellent...

L'ABBÉ. — Je ne voulais pas remettre à demain le plaisir de saluer notre hôte. Je ne suis pas descendu plus tôt parce que je savais que vous causiez avec Mlle Olympe Verdure.

Mais à présent que vous avez fini de manger. Mlle Olympe consentira sans doute à résigner ici ses fonctions.

OLYMPE. — Oh! je résigne, je résigne... Monsieur l'abbé, devant vous, vous le savez, je résigne toujours. Mais j'allais oublier de demander à monsieur Lacase ce qu'il prend à son petit déjeuner.
GÉRARD. — Mais... ce que vous voudrez. Que prend-on ici d'ordinaire?

OLYMPE. — De tout. Du thé pour ces dames, du café pour M. Floche, un potage pour M. l'abbé et du racahout pour M. Casimir.

GÉRARD. — Et vous-même, Mademoiselle?

OLYMPE. — Oh! moi, du café au lait simplement.

GÉRARD. — Je prendrai donc du café au lait avec vous.

L'ABBÉ. — Oh! oh! Mlle Verdure, M. Lacase m'a tout l'air de vous faire la cour!

Olympe hausse les épaules et fait un rapide salut tandis que l'abbé entraîne Gérard.

Décor. Chambre réservée à Gérard. Grand feu de bois dans la cheminée.

L'ABBÉ. — Dieu me pardonne! On vous a fait du feu. Il est vrai que les nuits de ce pays sont humides.

Il s'approche du foyer vers lequel il tend ses larges paumes. Il désigne ensuite le linge de Gérard étalé sur le lit. La valise est au pied du lit.

Je vois que Gratien a vidé votre valise.

GÉRARD. — Gratien, c'est le cocher qui m'a conduit?

L'ABBÉ. — Et c'est aussi le jardinier car ses fonctions de cocher ne l'occupent guère.

GÉRARD. — Oui, il m'a dit...

L'ABBÉ. — D'ailleurs, M. de Saint-Auréol n'a plus d'écurie.

9

GÉRARD *(surpris).* — M. de Saint-Auréol?

L'ABBÉ. — Oui, je sais que c'est M. Floche que vous venez voir; mais la Quartfourche appartient à son beau-frère. Demain vous serez présenté à M. et Mme de Saint-Auréol.

GÉRARD. — Et qui est M. Casimir dont je sais seulement qu'il prend du racahout le matin?

L'ABBÉ. — Leur petit-fils et mon élève. Dieu me permet de l'instruire depuis trois ans.

GÉRARD. — Ses parents ne sont pas ici?

On sent que cette question indispose l'abbé. Il répond, les lèvres serrées,

L'ABBÉ. — En voyage.

puis enchaîne aussitôt.

Je sais, Monsieur, quelles nobles et saintes études vous amènent ici[1]...

GÉRARD *(riant).* — Oh! ne vous exagérez pas leur noblesse. C'est en historien seulement que je m'occupe de Bossuet.

L'abbé a un geste pour repousser l'objection.

L'ABBÉ. — L'Histoire a bien aussi ses droits. Vous trouverez en Monsieur Floche le plus sûr et le plus aimable des guides. Il sera heureux de mettre à votre disposition les documents qu'il a mis toute une vie à recueillir. De quoi vous occuper quelque temps, je suppose...

1. Gide, de son écriture, remplace « intéressent » par « *amènent ici* » dans le découpage dactylographié.

Gérard, un peu las, étouffe un bâillement que l'abbé remarque. Il désigne la valise du doigt.

Il se saisit de la valise que Gérard, un peu agacé, lui dispute.

Ils sortent tous les deux dans le couloir, l'abbé tenant toujours la valise, Gérard son bougeoir à la main.

Ils arrivent au cagibi dont l'abbé ouvre la porte. On voit, en haut, la vitre éclairée de l'imposte qui donne dans la chambre de Mme Floche.

L'ABBÉ. — Si nous rangions cette valise, qui donne de fâcheuses idées de départ.

GÉRARD. — Mais je vous en prie, Monsieur l'abbé... Où faut-il donc la porter?

L'ABBÉ. — Je vais vous indiquer le cagibi[2] des vieux bagages.

L'ABBÉ. — Ne faisons pas de bruit. Cette petite resserre donne, par en haut, sur la chambre de Madame Floche.

On entend, venant de la chambre de Mme Floche, la voix d'Olympe Verdure.

---

2. Gide préférait dans le manuscrit autographe l'orthographe « *cachibi* » de ce mot qu'il semble avoir introduit dans l'usage littéraire dans son *Isabelle* de 1911. Mais l'orthographe est modifiée en « *cagibi* » dans ces scènes du début du découpage dactylographié aussi bien que dans les éditions « définitives » du récit telle que celle de la « Bibliothèque de la Pléiade » (p. 623). (L'orthographe était « *cachibis* » dans l'édition « Le Livre de poche » des années Soixante, p. 67.) Mais dans les dernières scènes du découpage dactylographié le mot est encore une fois transcrit « cachibi ». Cette fois, la secrétaire a même rayé « cagibi » pour retaper « *cachibi* »! Nous avons régularisé l'orthographe *cagibi* partout dans le texte.

Les mots « Tout près. » sont rayés au début de la réplique de l'Abbé dans le découpage dactylographié.

VOIX D'OLYMPE. — ... Tout ce que je puis vous dire, c'est qu'il a de bonnes manières.

L'ABBÉ *(à mi-voix et malicieux).* — Je crois que c'est de vous qu'il s'agit.

VOIX D'OLYMPE. — Il m'a paru charmant.

VOIX DE Mme FLOCHE. — Mais tous les jeunes gens vous paraissent charmants, Olympe.

VOIX D'OLYMPE *(un peu vexée).* — Allons! prenez vos gouttes.

VOIX DE Mme FLOCHE. — Charmant ou non, je voudrais qu'*elle* ne vienne pas pendant qu'il est là.

Gérard a pris la valise des mains de l'abbé qui lui ménage une place au-dessus de vieilles malles. Gérard traîne un peu plus qu'il est nécessaire. Mais sur la dernière phrase de Mme Floche, l'abbé l'entraîne vivement dans le couloir.

GÉRARD. — Puis-je vous demander qui est cette « elle »?

L'ABBÉ *(brusque).* — Nous n'avons pas à le savoir... Voici votre chambre. Bonne nuit.

Gérard et l'abbé sont immobiles à la porte. On voit à ce moment, à l'autre bout du couloir, une silhouette s'éloignant, tenant elle aussi un bougeoir.

L'ABBÉ. — Non; ne vous frappez pas, la Quartfourche n'est pas hantée. Ce fantôme, c'est simplement cette bonne Olympe Verdure.

Occupations nocturnes... Chut! Nous n'avons rien entendu, rien vu.

Il s'éloigne. Gérard entre dans sa chambre. Il s'étire, va au foyer dont il relève les bûches, puis à la fenêtre qu'il ouvre, repoussant les volets de bois. Vue des arbres et du ciel où un croissant de lune paraît courir dans les nuages rapides. Légère pluie. Soudain transi, Gérard referme la fenêtre et retourne au foyer dont il rabat les bûches.

Décor. Jour. Chambre de Gérard.

La fenêtre est grande ouverte, par laquelle on voit qu'il fait beau temps mais que les feuilles des arbres luisent encore d'une récente averse.

Gérard fait quelques rangements dans sa commode, puis s'accoude à la fenêtre. Tandis qu'il y est penché, la porte s'ouvre prudemment et l'on voit Olympe, portant le plateau du petit déjeuner. Elle s'avance doucement, pose le plateau sur la table et se retire sans avoir été entendue par Gérard.

Décor. Extérieur, tel que le voit Gérard par la fenêtre. Jardin.

Du potager accourt en clopinant un grand enfant, d'âge incertain. Jambes torses. Un énorme chien de Terre-Neuve gambade à ses côtés.

Au moment d'atteindre la cuisine, l'enfant culbuté par le chien, roule dans la boue. Une maritorne épaisse s'élance pour relever l'enfant.

La femme et l'enfant disparaissent dans les communs.

LA FEMME. — Ah ! ben, vous v'la beau, M. Casimir. C'est-y Dieu permis de s'mettre dans des états pareils ! Allons venez vous en par ici qu'on...

(... le reste de la phrase se perd...)

Décor. La salle à manger

où se tiennent (après breakfast) M. Floche (70 ans), visage mou et bon, fourche du pantalon tombant entre les jambes — Mme Floche (70 ans) taillée sur le même modèle que son mari. Olympe, l'abbé.

À l'entrée de Gérard, M. et Mme Floche se tiennent debout, côte à côte.

L'ABBÉ. — Madame Floche, je crois que voici notre aimable hôte.

L'abbé s'avance vers Gérard pour faire les présentations. Petites courbettes des deux vieillards.

Mme FLOCHE. — Mlle Olympe, notre amie, s'inquiétait de savoir si vous aviez bien dormi... Il faut vous plaindre si quelque chose vous incommode[3]...

Gérard proteste du geste. Floche fait siens les propos de sa femme en approuvant de la tête.

3. La main de Gide a retouché cette phrase dans le découpage dactylographié. On avait tapé : « Car il faudrait vous plaindre si quelque chose vous incommodait... ».

14

Olympe paraît alors au premier plan poussant devant elle le petit estropié que l'abbé saisit par le bras.

L'enfant est plein de confusion. Gérard le regarde avec amitié.

... Mais si, mais si...
L'ABBÉ. — M. et Mme Floche se plaisent à gâter leur hôte.

L'ABBÉ. — Allons, Casimir, vous n'êtes plus un bébé, venez saluer M. Lacase. Tendez la main... Regardez en face !
GÉRARD *(tourné vers les Floche)*. — C'est votre petit-fils ?
Mme FLOCHE. — Notre petit neveu. Vous verrez un peu plus tard mon beau-frère et ma sœur, ses grands-parents.
Mlle OLYMPE. — Il n'osait pas entrer parce qu'il avait empli de boue ses vêtements en jouant avec Terno.
GÉRARD *(souriant)*. — J'étais à la fenêtre quand le chien vous a bousculé[4]. Il ne vous a pas fait mal ?
L'ABBÉ. — Il faut dire à M. Lacase que l'équilibre n'est pas notre fort.

CASIMIR *(à Gérard)*. — C'est pas vrai, vous savez... ce qu'il dit pour l'équilibre. Je peux me tenir sur un seul pied... plus longtemps que lui. Il cherche tout pour m'humilier... Mais aujourd'hui j'ai congé... Vous viendrez ?[5]

4. La main de Gide a remplacé par « *bousculé* » le mot « culbuté » du découpage dactylographié.
5. Toute cette réplique de Casimir se trouve de la main de Gide sur un feuillet ajouté au découpage dactylographié. Elle remplace une réplique (rayée) de l'abbé : « Allons ! Allons ! c'est l'heure du travail. »

15

L'abbé entraîne Casimir.

M. Floche fait un signe à Gérard.

> FLOCHE. — Et, maintenant mon jeune hôte, venez que je vous montre la bibliothèque.

Décor. Bibliothèque composée de deux pièces (que peut venir séparer un rideau).

Une très exiguë et surélevée de trois marches, l'autre vaste, tapissée de livres.

> FLOCHE *(montrant la grande pièce)*. — C'est ici que vous vous installerez. Si, si... Moi je suis accoutumé au réduit ; je m'y sens mieux. Pour que nous ne nous dérangions pas, nous pourrons, si vous y tenez, baisser le rideau.
> GÉRARD. — Oh ! Pas pour moi...

Ils ont gagné le « réduit ». Floche s'assied à sa table de travail, et,

> FLOCHE *(concluant)*. — Nous le laisserons donc relevé.

d'un autre ton

> FLOCHE. — L'abbé Santal vous a-t-il dit que mon beau-frère est un peu...... Oui, le baron de Saint-Auréol. Et de moi, l'abbé ne vous a pas dit que j'étais un peu...
> GÉRARD. — Oh ! M. Floche, comment pouvez-vous croire...
> FLOCHE. — Mais, mon jeune ami, je trouverais cela tout naturel. Voyez-vous, ici, nous avons un peu perdu le contact. Le baron est sourd comme une calebasse. Pour moi, quant aux idées du jour, je me fais l'effet d'être

16

tout aussi sourd que lui... Et maintenant, au travail[6]. Les documents, les manuscrits sont dans le cartonnier. Emportez les papiers qu'il vous faut...

Floche et Gérard, au travail, chacun à sa table. Floche remue beaucoup de papiers. Il ne semble pas pouvoir se mettre à l'ouvrage. Gérard, de son côté, lit distraitement. Chaque fois qu'il lève les yeux, il rencontre le regard de Floche qui lui sourit, et lui fait même une fois un petit signe d'encouragement de la main. Puis la tête de M. Floche se met à dodeliner. Il pique un petit somme. Gérard se lève alors sans bruit, gagne la porte à pas de loup, sort.

On le retrouve errant au salon. Avec quelque indiscrétion, il examine les lieux, fait glisser la tablette d'une table de Boulle pour examiner le contenu du tiroir (jeux de cartes — marques de bridge) puis passe au petit salon, attenant au grand par une baie. Il tombe en arrêt devant une table où sont disposés des journaux : *Bulletin des Archéologues*, *Journal des Voyages*, *Courrier des Missions*.

Il prend distraitement ce dernier quand un bruit de voix dans le salon voisin lui fait lever la tête.

6. Gide a remplacé de sa main l'expression « trève de balivernes » par « *au travail* » dans le découpage dactylographié. Il a aussi rayé les mots « Au revoir » à la fin de la réplique.

17

VOIX DE GRATIEN. — Non,
Madame, ne refusez pas de
m'écouter. Le mépris des gens
du pays, je le supporte encore...

Décor. *Le grand salon où l'on voit* Mme *Floche et*
Gratien.

Mme FLOCHE. — Mais, mon bon
Gratien, c'est de l'histoire ancienne ; ne revenons pas là-dessus.
GRATIEN. — Ce n'est pas moi
qui y reviens. Mais vous devriez
dire à Mme de Saint-Auréol qu'elle
n'a pas le droit de me parler
comme elle fait.
Mme FLOCHE. -- Allons ! Qu'est-
ce qu'il y a encore ?
GRATIEN. — C'est rapport aux
braconniers. J'en avais surpris
deux hier, qui venaient relever
leurs collets.
Mme FLOCHE. — Mais Gratien,
laissez donc ces collets tranquilles
et les pauvres gens qui les posent.

Au milieu de la réplique suivante, on revoit Gérard, toujours
debout dans le petit salon, le
Journal des Voyages à la main.

GRATIEN. — C'est une question
de principe. Mais Madame devrait comprendre que ça me met
dans une fausse position. Je suis
capable de supporter beaucoup
pour les maîtres ; je l'ai prouvé et
ça ne devrait pas être à moi de le
rappeler à Madame votre sœur.
VOIX DE Mme FLOCHE. — Vous
ne devez pas attacher trop d'importance à ce qu'elle dit.

18

On revoit Gratien et Mme Floche

VOIX DE GRATIEN. — Oh! je sais bien... Mais quand je lui dis que je n'ai pas qualité pour les arrêter, les braconniers, et qu'elle me répond : Je voudrais bien savoir pourquoi ? — ça ne devrait pas être à moi de lui rappeler ma condamnation. Que Madame ne se méprenne pas : ce n'est pas de la reconnaissance que je demande... mais votre sœur ne devrait tout de même pas oublier que sans moi...

Mme FLOCHE. — Je n'oublie pas, Gratien. Oh! je n'oublie rien... Et autre chose dont vous ne parlez pas : C'est qu'on vous doit six mois de gages.

GRATIEN. — Si Madame me faisait l'amitié de ne pas parler de ça.

Décor. Jour. Intérieur. La salle à manger. Table mise pour le déjeuner.

Les Floche, l'abbé, Olympe, Casimir, Gérard et le couple Saint-Auréol (75 ans).

« Le baron Narcisse de Saint-Auréol portait culotte courte, souliers à boucles, cravate de mousseline et jabot... Le menton, au moindre mouvement de la mâchoire, faisait un extraordinaire effort pour rejoindre le nez... Un œil restait hermétiquement clos. »

« Mme de Saint-Auréol disparaissait sous un flot de dentelles. Mains chargées d'énormes bagues...

19

Visage effroyablement fardé. »[7].
Elle est campée devant Gérard, rejette la tête en arrière, et tournée vers Mme Floche qui entre.

Mme DE SAINT-AURÉOL *(d'une voix forte)*. — Il fut un temps, ma sœur, où l'on témoignait au nom de Saint-Auréol plus d'égards... *(à Gérard)* Le baron et moi nous sommes heureux, Monsieur, de vous recevoir à notre table.

Gérard baise la main de la baronne de Saint-Auréol. On se dirige vers la table où l'on prend place. Aussitôt le baron d'une voix perçante s'adresse à Gérard.

LE BARON. — Monsieur de Las Cases, j'ai beaucoup vu vos parents aux Tuileries... votre oncle particulièrement...

Personne ne paraît prendre garde à l'erreur du baron. Seule Olympe se penche vers Gérard, et en secouant la tête, à mi-voix :

OLYMPE. — Autant le laisser dans sa méprise.
LE BARON. — Ah! c'était un original! Au whist, chaque fois qu'il abattait atout, il criait : Domino!...
GÉRARD *(un peu ironique)*. — Vous me faites regretter de ne pas l'avoir connu personnellement.
SAINT-AURÉOL. — Parfaitement juste. Il faisait tout avec élégance. Et vous savez, l'abbé qui a beaucoup voyagé peut vous le dire — s'il est un terrain où la France demeure imbattable,

7. Les guillemets indiquent que les collaborateurs citent des bribes de description du couple Saint-Auréol du récit de 1911 (*Isabelle*, p. 617).

20

Mᵐᵉ Floche, qui est assise à la droite du baron, se penche en avant vers Gérard qui lui fait face.

On voit Casimir manger gloutonnement avec ses doigts.

L'enfant, confus, s'arrête de manger.

L'abbé met de force la fourchette dans la main de Casimir. Au comble de la confusion, l'enfant laisse tomber à terre la fourchette et quitte la table.

On se lève de table. Le baron jette sa serviette par terre. Olympe la ramasse et la plie soigneusement. Mᵐᵉ Floche s'approche de Gérard.

c'est celui de l'élégance.

Mᵐᵉ FLOCHE. — Je crains que mon beau-frère ne vous fatigue un peu. Nous nous sommes habitués. *(s'adressant à M. Floche)* N'est-ce-pas, cher ami?
M. FLOCHE. — Oh! moi...
SAINT-AURÉOL. — Et, je ne parle pas bien entendu de l'élégance qui s'acquiert, mais de celle qui se transmet de père en fils.

L'ABBÉ. — Voyons, Casimir, vous avez une fourchette!

OLYMPE. — Il ne va plus oser manger.

L'ABBÉ. — Alors, c'est renoncer au progrès?
Mᵐᵉ FLOCHE *(à Gérard)*. — C'est pour vous qu'il avait voulu venir à table. D'ordinaire il préfère prendre ses repas à la cuisine.

21

Dans le verger-potager, Mme Floche et Gérard marchent à petits pas. Tout en parlant, Mme Floche examine les fruits.

Mme FLOCHE *(à mi-voix).* — M. Lacase, vous m'accorderez quelques instants?... *(à voix haute)* Je vais montrer les espaliers à M. Lacase.

Mme FLOCHE. — Je ne doute pas que vous ne sachiez vous occuper... mais les jours sont longs à la campagne et la Quartfourche...

GÉRARD. — Mais, Madame, j'ai mon travail.

Mme FLOCHE. — Nous vivons si retirés du monde. Ah! M. Lacase, vous ne savez pas ce que votre venue représente pour nous. J'ai pensé que... Eh bien, voilà. C'est au sujet de mon petit neveu. L'abbé Santal voit les choses d'un peu haut. Il a ses intérêts ailleurs... ses intérêts spirituels; et je crains que... le sujet de thèse qu'il a choisi ne soit un peu spécial pour un enfant si jeune.

Geste d'encouragement de Gérard.

GÉRARD. — Mais, permettez, Madame, quelle thèse?

Mme FLOCHE. — Pour le baccalauréat.

GÉRARD *(un peu éperdu).* — Ah! oui.

Mme FLOCHE. — Si vous pouviez vous informer un peu...

GÉRARD. — Et que pense de tout cela M. Floche?

Mme FLOCHE. — Floche approuve toujours ce que décide l'abbé.

Gérard incline la tête en signe d'acquiescement.

Olympe Verdure s'avance à grands pas vers le couple Gérard-Mme Floche. On doit sentir qu'elle se sent indiscrète, mais ne peut résister à sa curiosité.

GÉRARD. — Puis-je vous demander, Madame : les parents de l'enfant ?
Mme FLOCHE. — Ma nièce nous l'a confié depuis la mort du père.
GÉRARD. — Elle-même ne...
Mme FLOCHE. — Oh ! si, M. Lacase ; mais il y a dans toutes les familles des choses dont on préfère ne pas parler... Alors, jusqu'à ce soir vous allez savoir vous occuper ?
GÉRARD. — Le pays me paraît très beau. Les grands arbres là-bas...
Mme FLOCHE. — C'est le parc de Gonfreville. Oserai-je vous prier de ne pas aller de ce côté-là ?

Mme FLOCHE. — Les espaliers sont aujourd'hui bien négligés. Gratien a trop à faire.
GÉRARD. — Si vous me prêtiez votre sécateur. Je m'y connais un peu en jardinage ?
Mme FLOCHE. — Oh ! non ; je vous en prie. Depuis son retour Gratien est tellement susceptible.

OLYMPE (à Mme Floche). — J'ai besoin des clefs de la lingerie...
Mme FLOCHE (brusque). — Mais non, Olympe, vous avez besoin de me surveiller, de m'interrompre. Je vais avec vous.

23

Décor. Le salon du château après dîner le soir. Feu de bois.

C'est la fin de la soirée. Mme de Saint-Auréol, Mme Floche, Olympe et Gérard sont assis à une table de jeu, terminant une partie de bésigue. L'abbé et M. de Saint-Auréol font un jacquet. M. Floche est abîmé dans un fauteuil au coin du feu. Casimir lit le *Journal des Voyages.*

Les joueurs de bésigue reposent leurs cartes. Mme Floche tire une montre de sa ceinture.

Mme FLOCHE. — Casimir ! Allons, Casimir, il est temps.

Mme de Saint-Auréol et Olympe rangent les cartes sur la table tandis que l'enfant, qui s'est levé à regret, vient tendre son front à baiser aux dames. Mme de Saint-Auréol tient en mains le paquet de cartes qu'elle vient de rassembler.

Mme DE SAINT-AURÉOL. — M. Lacase qui est habitué aux distractions de Paris a sans doute trouvé notre amusement un peu terne.

Geste poli de Gérard. Les dames se lèvent pour se retirer. L'abbé et M. de Saint-Auréol ont fini leur partie de jacquet. Olympe prépare et allume des bougies sur une petite table près de la porte. Gérard se dirige de ce côté pour prendre un bougeoir. L'abbé le retient au passage.

24

Il se lève, tandis que les dames se retirent (à l'exception d'Olympe qui procède à de menus rangements) et que M. de Saint-Auréol, quittant la table de jeu de jacquet, va prendre place dans le fauteuil qui fait vis-à-vis à celui de M. Floche, de l'autre côté de la cheminée.

L'abbé entraîne Gérard à l'autre bout du salon. À ce moment M. de Saint-Auréol qui chantonne dans son fauteuil planque un formidable coup de pincettes à travers les bûches. Une gerbe d'étincelles jaillit sur le tapis et Olympe se met à les piétiner en sautillant.

Elle sort en coup de vent.

L'abbé et Gérard sont debout au fond du salon. L'abbé parle d'une voix lente, assez bas. On voit dans les deux fauteuils de la cheminée M. Floche effondré, M. de Saint-Auréol remuant sénilement les lèvres.

L'ABBÉ. — Restez donc un moment, Monsieur Gérard...

L'ABBÉ. — Fumons une cigarette ensemble.

L'ABBÉ. — Ah! voici Mlle Verdure qui fait la valse des étincelles.
OLYMPE *(furieuse)*. — Préféreriez-vous que je laisse brûler le tapis?
GÉRARD. — Seriez-vous méchant, M. l'abbé?

L'ABBÉ. — Moi?... Cette excellente demoiselle a besoin qu'on lui fouette le sang. Il se fige dans la tranquillité de la Quartfourche.

25

Le diable n'y use contre nous que d'une seule arme; mais c'est peut-être la plus redoutable : l'ennui. Le travail parvient à l'écarter tout au long des jours monotones. Ici c'est toujours la même journée qui recommence ou qui se prolonge sans fin.

Sur les mots « ... journée qui recommence » la scène est brusquement coupée et l'on entend la voix de l'abbé terminer la phrase — tandis qu'on voit :

Vue de M. Floche, assis à sa table de travail et faisant à Gérard (qu'on ne doit pas voir) un petit signe d'encouragement,

Vue de Saint-Auréol, jetant sa serviette après le dîner.

Vue de Gratien, au potager avec son sécateur.

Vue de Mme Floche, s'affairant, son trousseau de clefs retenu par une chaîne à la ceinture lui battant le genou.

Vue d'Olympe faisant la valse des étincelles.

Vue de Casimir, bavant sur son *Journal des Voyages*.

Vue de Mme de Saint-Auréol jouant au bésigue.

Vue de M. de Saint-Auréol, flanquant un coup de pincettes dans le feu.

Vue de l'abbé, lisant son bréviaire.

Musique

Vue du groupe Floche, Saint-Auréol, Olympe prenant des bougeoirs pour aller se coucher. Petits points lumineux des bougies se baladant dans la nuit.

Décor. Jour. Le matin. Dans le couloir où donne la chambre de Gérard.

En regardant de droite et de gauche si on ne le voit pas, Gérard rentre dans sa chambre, portant sa valise qu'il ouvre aussitôt (elle est vide) et dans laquelle il commence à déposer des papiers.

On frappe à la porte. Gérard aussitôt repousse du pied la valise sous le lit, tandis que la porte s'entr'ouvre et que paraît Casimir. Le regard de l'enfant a surpris Gérard dissimulant la valise.

CASIMIR. — Monsieur Gérard, c'est ma tante qui m'envoie vous proposer une pêche à la grenouille. Mais j'ai peur que ça ne vous amuse pas beaucoup.

Décor. Le parc où sont descendus Gérard et Casimir.

L'enfant tient, gauchement, une des mains de Gérard dans les deux siennes.

CASIMIR. — Vous aviez dit que vous resteriez tout le mois.
GÉRARD. — Mon cher petit, ... je crains de devoir partir plus tôt.

27

Casimir embrasse la main de Gérard.

Gérard et Casimir se dirigent vers une corbeille de dahlias. Ils commencent à cueillir des fleurs. Gratien passe, une bêche sur l'épaule et un panier à la main. Il s'arrête pour examiner la façon dont Casimir cueille les dahlias.

Gratien s'éloigne en grommelant[8].

CASIMIR. — Oh! j'ai bien vu votre valise... je comprends : vous vous ennuyez.

GÉRARD. — Non; mais je suis rappelé à Paris... Je reviendrai.

CASIMIR. — C'est vrai?

GÉRARD. — Je te promets.

CASIMIR. — Bien vrai?

GÉRARD. — Veux-tu que je l'écrive sur un petit papier que tu garderas?

CASIMIR. — Oh! oui.

GÉRARD. — Sais-tu ce qui serait gentil maintenant? Nous devrions cueillir des fleurs pour ta tante; on irait tous les deux porter un gros bouquet dans sa chambre pour lui faire une belle surprise.

GRATIEN. — Au-dessus de l'œil, Monsieur Casimir; combien de fois faut-il qu'on vous le répète?

8. La main de Gide a rayé dans le découpage dactylographié les deux répliques qui terminaient cette scène :
GÉRARD (agacé). — En cette fin de saison, cela n'a plus aucune importance.
GRATIEN. — ... Ça a toujours de l'importance... pas de saison pour mal faire...

28

Décor. Le vestibule qui précède la chambre de
Mme Floche.

Devant une porte, Gérard et
Casimir — le dernier avec les
fleurs à la main très excité — Il
entr'ouvre la porte avec précaution et regarde à l'intérieur de
la chambre. Il fait signe à Gérard.

CASIMIR *(à mi-voix).* — Venez !
Elle n'est pas là...

Décor. Chambre de Mme Floche.

Volets mi-clos ; près du lit, dans
une alcôve, un prie-Dieu d'acajou
et de velours. Crucifix au mur et
rameau de buis suspendu à un
bras de la croix. Pendant que
Casimir apprête les fleurs sur
une commode, Gérard regarde la
chambre. Casimir, maladroit, fait
tomber les fleurs.

CASIMIR. — Si vous m'aidiez...

Et tandis que Gérard s'occupe à
son tour de faire le bouquet,
Casimir court à un secrétaire
qu'il ouvre. Il s'assied et écrit,
très appliqué.

CASIMIR. — Je vais faire le billet où vous promettez de revenir.
GÉRARD. — C'est cela. Mais
dépêche-toi ; ta tante serait très
fâchée si elle te voyait fouiller
dans son secrétaire.
CASIMIR. — Oh ! ma tante ne
me gronde jamais. Et puis elle
est occupée à la cuisine. À présent, venez signer.

Gérard s'approche de l'enfant et
lit le billet par-dessus son épaule.

... « M. Lacase promet de revenir bientôt[9] à la Quartfourche. — Casimir de Saint-Auréol. » Gérard rit. L'enfant est tout décontenancé.

Gérard prend la chaise de Casimir et s'installe à son tour devant le secrétaire où il signe le billet. Casimir prend le billet et saute de joie. Gérard va pour se lever, mais l'enfant le retient par la manche.

GÉRARD. — Mais, Casimir, tu n'avais pas à signer toi-même.[10]

Penché sur le secrétaire, il fait jouer le ressort d'un tiroir secret et il tend à Gérard une miniature[11].

CASIMIR. — Je vais vous montrer quelque chose.

Gérard se lève et s'approche de la fenêtre (les volets sont mi-clos) pour placer le médaillon dans un rayon de lumière. Le médaillon représente une jeune fille — Isabelle — « À le contempler, Gérard perd conscience du lieu, de l'heure »[12]... Casimir s'est éloigné, achevant d'apprêter les fleurs. Surpris du silence de Gérard, il revient à lui.

Musique

CASIMIR. — C'est maman... Elle est bien jolie, n'est-ce pas?

Gérard repose le médaillon sur le secrétaire.

9. Gide a remplacé « l'année prochaine » (rayé) par « *bientôt* » dans le découpage dactylographié.
10. Gide a rayé dans le découpage dactylographié la phrase qui suivait : « Laisse-moi me mettre à ta place pour que je signe. »
11. Dans le découpage dactylographié la main de Gide a rayé ici une réplique de Casimir, suite de la précédente : « Regardez ».
12. Cette citation rappelle les paroles de Gérard en regardant la miniature d'Isabelle dans le récit de 1911 : « *À la contempler j'avais perdu conscience du lieu, de l'heure* [...]. » (*Isabelle*, p. 632).

GÉRARD. — Où est-elle à présent, ta maman?
CASIMIR. — Je ne sais pas.
GÉRARD. — Pourquoi n'est-elle pas ici?
CASIMIR. — Elle s'ennuie ici.

GÉRARD. — Et ton papa?
CASIMIR. — Mon papa est mort.
GÉRARD. — Elle vient te voir quelquefois, ta maman?
CASIMIR. — Oh! oui souvent!... Elle vient causer avec ma tante.
GÉRARD. — Et avec toi[13]?
CASIMIR. — Oh! moi, je ne sais pas lui parler... Et puis quand elle vient, je suis couché.
GÉRARD. — Couché!

Un peu confusément et comme honteux, Casimir baisse la tête.

Casimir baisse un peu la voix. Il est debout en face de Gérard, debout aussi, qui a une main posée sur son épaule, l'autre appuyée sur le secrétaire où il a déposé le médaillon. Les questions et les réponses se succèdent sur un ton monocorde, un peu étouffé. On doit se rendre compte que l'enfant révèle un secret et qu'il en est conscient.

CASIMIR. — Oui, elle ne vient que la nuit[14]... La dernière fois elle est venue m'embrasser dans mon lit.
GÉRARD. — Elle ne t'embrasse donc pas d'ordinaire?

13. Gide a rayé dans le découpage dactylographié le mot « aussi » à la fin de la réplique.
14. La main de Gide a ajouté les mots « *ne* [...] *que* » dans le découpage dactylographié.

31

Casimir baisse la tête et ne répond pas.

Silence de l'enfant.

Casimir répond cette fois, avec ferveur, mais à voix presque basse. Gérard reste immobile, la main comme oubliée sur l'épaule de l'enfant, ne le regardant pas. Il y a un silence. Chacun des deux personnages est plongé dans ses propres pensées.

Gérard et Casimir sursautent. Casimir court à la porte qu'il ouvre.

CASIMIR. — Oh, si, beaucoup.

GÉRARD. — Alors, pourquoi dis-tu « la dernière fois » ?

CASIMIR. — Parce qu'elle pleurait.

GÉRARD. — Elle était avec ta tante ?

CASIMIR. — Non, elle était entrée toute seule dans le noir ; elle croyait que je dormais.

GÉRARD. — Elle t'a réveillé ?

CASIMIR. — Oh ! je ne dormais pas. Je l'attendais.

GÉRARD. — Tu savais donc qu'elle était là ?

GÉRARD. — Comment savais-tu qu'elle était là ?

GÉRARD. — Dans le noir, comment as-tu pu voir qu'elle pleurait ?

CASIMIR. — J'ai senti. Elle était penchée sur mon lit ; je la tenais par les cheveux.

VOIX DE Mᵐᵉ FLOCHE (appelant au loin). — Casimir, Casimir.

VOIX DE Mᵐᵉ FLOCHE. — Casimir, va dire à M. Lacase qu'il est temps de s'apprêter. La voiture sera là dans une demi-heure.

32

Casimir se retourne vers Gérard
et désigne le médaillon.

CASIMIR. — Rangez-le.

Il part en courant.

Gérard, resté seul, reprend le
médaillon, le contemple encore.

Vue du médaillon.

Il va pour le remettre dans le
tiroir secret, tire celui-ci davantage, y aperçoit un cahier relié
dont il s'empare.

Musique

Vue de la couverture du cahier.

Ensuite, la 1re page :
« *12 juin 1908*[15]
*Je n'ai pas d'amis. Alors je
vais tenir mon journal.* »

Il remet le médaillon dans le
tiroir qu'il referme, mais, après
une seconde d'hésitation, il a
glissé le cahier sous sa veste.

Décor. Chambre de Gérard. La nuit.

Flambeau sur la table. Debout, il
tient à la main le cahier (journal
d'Isabelle), se baisse vers la lampe
pour l'éclairer, finit par s'asseoir
à la table.

Musique

La couverture tourne et on lit la
suite de la première page :
« *Ce soir, pour fêter mes dix-
huit ans, mes parents donnent un
bal. Il paraît que c'est l'usage.* »

Musique

15. Dans le manuscrit autographe, « 20 juin 1905 » Dans le découpage dactylographié tout le passage de « *la 1re page* » jusqu'à « *vais tenir mon journal* » est écrit
de la main de Gide, qui a aussi rayé sur la couverture du Journal d'Isabelle : « Mon
Journal 1908 ».

Décor. La chambre d'Isabelle. Chambre de jeune fille.
Éclairage par des lampes à huile.

On voit, de dos, une jeune fille assise à son secrétaire, reposant la plume et refermant un cahier. Elle se lève, va vers sa coiffeuse où elle s'accoude devant la glace. On reconnaît alors Isabelle, dans la pose du médaillon. Une boîte de cigarettes est posée à côté des brosses d'ivoire. Isabelle en allume une et s'essaie maladroitement à faire des ronds de fumée.

Musique

(On entend frapper trois coups à la porte.)

ISABELLE. — C'est toi, Loly? Pourquoi frappes-tu?

Entrée d'Olympe. Elle tient sur son bras la robe que revêtira Isabelle.

OLYMPE. — Maintenant que mon Isabelle est grande, je ne peux plus la traiter comme une enfant. Mademoiselle de Saint-Auréol fait ce soir son entrée en scène. Tous les jeunes gens vont tomber à ses pieds.

ISABELLE. — Loly, ne dis donc pas de bêtises. Si tu savais comme tout cela m'ennuie!

Olympe étale la robe sur le lit. Isabelle s'en approche à son tour et soulève distraitement un coin de la robe. Elle a un geste d'impatience.

OLYMPE. — En attendant, il faut t'habiller. Je suis sûre qu'il y a encore des retouches à faire.

Isabelle s'empare de la robe, un peu brusquement, et se retire avec

34

elle dans un coin de la pièce où on ne la voit plus. Olympe éteint dans une coupe la cigarette qu'a laissée Isabelle. Olympe hausse les épaules.

ISABELLE. — Écoute, je vais te dire quelque chose de tout à fait sérieux. J'ai beaucoup réfléchi ces derniers temps. Je veux entrer au couvent.
OLYMPE. — Au couvent! Mais tu viens d'en sortir...
ISABELLE. — Tu ne comprends pas. Je veux dire : entrer dans les ordres. Enfin quoi! prononcer des vœux. Le monde me dégoûte.
OLYMPE. — Ne parle pas de ce que tu ne connais pas. Et maintenant, dépêche-toi. Tu vas être en retard.
ISABELLE. — On a tout le temps. Ça ne commencera pas sans moi.

Isabelle reparaît, sa robe non entièrement agrafée. Isabelle s'est approchée d'Olympe qui lui agrafe sa robe et l'examine avec attention. Olympe fait virevolter Isabelle pour voir la robe sous tous ses aspects. On sent qu'elle ne suit plus la conversation et n'est occupée que par la robe.

OLYMPE (distraitement). — Tu dois être là pour accueillir les invités.
Ah! c'est bien ce que je craignais ; lève un peu le bras gauche...
ISABELLE. — Qu'est-ce qu'il y a encore qui ne va pas?

Isabelle, le bras levé, tandis qu'Olympe enfile une aiguillée et s'apprête à faire une retouche.

35

Pendant toutes les répliques suivantes, Isabelle ne paraît pas s'impatienter, mais se laisse complaisamment tourner et retourner par Olympe, qui parfois s'agenouille à ses pieds pour rectifier un pli.

(Elle fredonne)
« *Je pourrais folâtrer nue*
Sous la nue... »

Dis, Loly, veux-tu me faire un immense plaisir?
OLYMPE. — Qu'est-ce que tu vas encore me demander?
ISABELLE. — À l'occasion de mes 18 ans, tu vas fumer une cigarette.
OLYMPE. — Jamais de la vie.
ISABELLE. — Pourquoi?
OLYMPE. — Parce que je n'aime pas ça.
ISABELLE. — Tu as déjà essayé?
OLYMPE. — Jamais.
ISABELLE. — Alors, comment peux-tu savoir que tu n'aimes pas ça? Comme tu me disais pour le monde : ne parle pas de ce que tu ne connais pas.
(Elle fredonne)
« *Et rouge pour une mouche*
Qui la touche... »

Isabelle saisit la boîte de cigarettes sur la coiffeuse.

Elles sont douces, douces... Je vais te l'allumer.
OLYMPE. — Non, non et non.
ISABELLE. — Tu ne veux jamais rien faire pour moi.
OLYMPE. — Je ne sais vraiment pas ce que tu as ce soir.

ISABELLE. — Ce que j'ai? Mais tu viens de le dire : j'ai dix-huit ans.

Olympe va prendre une paire de petits souliers de bal et les tend silencieusement à Isabelle. Tandis que celle-ci se baisse pour se chausser, la porte s'entr'ouvre et par l'entrebâillement on voit la tête de M. de Saint-Auréol, sémillant, vêtu comme à l'accoutumée (culotte et bas de soie).

LE BARON. — Sera-t-il permis aux parents d'Isabelle d'admirer ses atours avant la foule des...
ISABELLE. — Oh! papa, je t'en prie : me sera-t-il permis de te dire zut?
LA BARONNE. — Ma petite, tu ne devrais plus employer ces termes enfantins.

Isabelle est toujours baissée. La baronne de Saint-Auréol est entrée à la suite de son mari, mais on ne la voit pas. En entendant la voix de sa mère, Isabelle relève la tête et c'est alors seulement qu'un mouvement de la baronne la rend visible à Isabelle et aux spectateurs. Elle est vêtue d'une sorte de crinoline, aigrettes dans les cheveux. Un éventail pend par un anneau à sa main. Fou rire d'Isabelle, toujours laçant son soulier.

ISABELLE. — Oh! maman, qu'est-ce que tu t'es collé sur la tête?
LA BARONNE (vexée). — C'est

37

Isabelle s'est redressée. Elle porte la main à sa gorge et désigne son décolleté.

Le baron marche de long en large dans la chambre, brandillant le pied droit à chaque volteface.

Isabelle fait une petite révérence.

Le baron se dirige alors le premier vers la porte, parlant comme s'il poursuivait à haute voix un monologue intérieur.

Le baron est déjà sorti. La fin de sa phrase se perd.

La baronne s'arrête et se retourne.

ce qu'on appelle des marabouts[16].

ISABELLE. — Et ça, c'est ce qu'on appelle un « décolleté à la vierge » ?

LA BARONNE. — C'est en effet le mot consacré ; mais il semble déplaisant dans ta bouche.

Allons ! Dépêche-toi. Ta marraine et l'oncle Floche vont arriver de la gare d'un moment à l'autre.

LE BARON. — Naturellement, nous ne sommes plus à Paris. Toutefois c'est en province que se sont réfugiées quelques-unes des plus grandes familles françaises...

LA BARONNE. — Je te donne un quart d'heure pour nous rejoindre.

16. Gide a rayé partout dans le découpage dactylographié le mot « aigrettes » pour le remplacer par « marabouts ».

Décor. Nuit. Vue extérieure de la Quartfourche.

Arrivée des Floche que Gratien est allé chercher à la gare avec le landau qui s'arrête devant l'entrée des communs. Mme de Saint-Auréol est dans l'entrée. Les Floche descendent de voiture et montent le perron, suivis de Gratien qui porte les bagages à la main.

Mme DE SAINT-AURÉOL *(à Gratien)*. — Ne vous occupez pas des bagages. Vous n'avez que le temps de vous apprêter. *(accueillant les Floche)* Ma chère sœur... mon bon Anselme[17]... Pas trop fatigués du voyage?

Mme FLOCHE. — Dis tout de suite : tu as bien reçu l'envoi?

Mme DE SAINT-AURÉOL. — Juste à temps pour parer aux dépenses du bal.

Mme FLOCHE. — Du bal?

Mme DE SAINT-AURÉOL. — Oui, nous donnons un petit bal pour les dix-huit ans d'Isabelle.

Mme FLOCHE. — Ce soir?

C'est seulement alors que Mme Floche semble s'apercevoir de la toilette du soir de sa sœur.

Mme DE SAINT-AURÉOL. — Eh bien, oui, ce soir. Tu penses bien que ce n'est pas pour toi que j'ai mis mes marabouts. Tu vas t'apprêter.

17. La main de Gide a remplacé « cher » par « *mon bon* » dans le découpage dactylographié.

39

Mme FLOCHE. — Tu ne prétends pas qu'Anselme et moi paraissions.

Mme de Saint-Auréol est soulagée.

Mme DE SAINT-AURÉOL. — Viens tout de même voir les salons.

Décor. Salon où Gratien achève d'allumer les bougies. Buffet presque somptueux.

Le baron de Saint-Auréol est là. Il baise la main de Mme Floche et entraîne M. Floche du côté du buffet.

Mme FLOCHE. — Mais dis-moi, Hortense... tout cela...
Mme DE SAINT-AURÉOL *(hérissée soudain).* — Eh bien quoi ?... tout cela...
Mme FLOCHE *(battant en retraite).* — ... est remarquablement arrangé.

Isabelle entre, suivie d'Olympe.

Mme FLOCHE. — Ah ! voilà ma gentille...
ISABELLE. — Bonsoir Marraine. *(Elle embrasse sa tante.)* Vous avez vu les marabouts de maman ?
Mme FLOCHE. — Je regarde surtout ta jolie robe.
ISABELLE. — Moi, vous savez, je ne suis responsable de rien.

Olympe s'est approchée à son tour de Mme Floche.

Mme FLOCHE. — Chère Olympe...

Mme de Saint-Auréol passe l'inspection du salon.

Le baron de Saint-Auréol et M. Floche se rapprochent. M. Floche embrasse Isabelle pendant la réplique du baron.

Mme DE SAINT-AURÉOL *(à la cantonade).* — J'ai installé des tables de whist dans le second salon pour laisser plus de place aux danseurs.

LE BARON DE SAINT-AURÉOL *(intervenant).* — Et vous savez, quand tous les invités seront là... Oh! je me souviens, dans le temps[18], j'ai vu la Quartfourche accueillir à la fois plus de cent personnes. Il y avait certaines chasses à courre...

Mme DE SAINT-AURÉOL *(toujours très agitée).* — Olympe surveillera le buffet pendant que vous, Gratien, introduirez les invités. Vous la remplacerez ensuite. Toi, Isabelle...

Tous s'éloignent, laissant les Floche seuls dans un coin du salon. Ils échangent un regard et se lèvent pour se retirer.

Mme FLOCHE. — Ma pauvre sœur a perdu la tête.
M. FLOCHE. — Pour ce qu'elle en avait!

Décor. Le salon beaucoup plus éclairé que précédemment.

La foule des invités. Danseurs à l'arrière-plan. Au premier plan, groupe de Messieurs et de dames.

Flons-flons du petit orchestre.

---

18. La main de Gide a remplacé « du temps de ma jeunesse » par « *dans le temps* » dans le découpage dactylographié.

41

PREMIER MONSIEUR. — Il arrive souvent que la province soit, au contraire, en avance sur Paris. Tenez : nous avons ici un jeune poète sur qui je fonde les plus grands espoirs.

UN JEUNE HOMME *(en aparté à une dame).* — Parbleu ! c'est le protégé de sa femme ; il ne peut pas se tenir d'en parler.

PREMIER MONSIEUR. — J'espère qu'on pourra le décider à nous réciter quelque chose.

Autre groupe, surtout de dames.

LE POÈTE. — ... Non, Madame, pour ainsi dire rien publié. Je me réserve.

UN DEUXIÈME MONSIEUR. — ... Pour frapper brusquement un grand coup. Il a raison ! À Paris on se consume ; en province, on mûrit.

À ce moment, intervient le 1er Monsieur. Il s'approche du groupe où est le poète. Ses gestes montrent qu'il veut amener le poète à se produire.

(Tout ceci, avec bruits d'orchestre.)

On entend une fin de phrase :

LE PREMIER MONSIEUR. — ... pendant un silence de l'orchestre.

Le poète l'accompagne vers la petite estrade où se trouve l'orchestre qui, précisément, ne joue pas. Le poète se prépare à réciter. Mais s'élève, tonitruante, la voix du Général, parlant au milieu d'un groupe.

LE GÉNÉRAL. — Non, Madame. Tous les progrès de l'artillerie n'y feront rien. C'est l'infanterie qui décide.

Le poète est prêt à réciter. Celui qui l'accompagne (le premier Monsieur) voudrait l'annoncer.

Vue du groupe du Général.

Le Général hausse les épaules.

Vue du petit salon où les gens s'installent aux tables de whist. L'orchestre fait silence à nouveau. Vue de l'estrade où le poète se prépare derechef. Vue d'un groupe où le juge d'instruction pérore.

LE PREMIER MONSIEUR. — Je ne peux tout de même pas interrompre un Général.

LE GÉNÉRAL. — Dans une bataille — et qui dit guerre dit bataille — à qui revient le dernier mot?
UN IMPERTINENT. — Aux impondérables.

LE GÉNÉRAL. — Tt! Tt! Tt! Tt! Au fantassin!

(Ici l'orchestre reprend.)

LE GÉNÉRAL. — Ainsi quand j'étais à Sébastopol *(la voix est couverte par le bruit)... (avec force)* Les Russes avaient compris!

LE JUGE D'INSTRUCTION. — C'est alors que, par une sorte d'intuition subite... car, persuadez-vous, Madame, qu'il n'est pas de mise au point qui tienne, même pour un juge d'instruction, en regard de ce qu'on est bien forcé d'appeler *l'intuition.* Je tenais donc tous les fils — et je devrais plutôt dire : toutes les ficelles — de l'affaire en cours lorsque...

À ce moment le 1ᵉʳ Monsieur vient discrètement toucher l'épaule du juge d'instruction et l'inviter au silence en lui indiquant le poète.

LE JUGE D'INSTRUCTION. — Ah ! mais il nous embête, ce petit jeune homme...

L'orchestre est sur le point de reprendre. Le 1ᵉʳ Monsieur se précipite pour avertir les musiciens, qui restent l'archet levé. Avec un sourire ravi d'avance, le 1ᵉʳ Monsieur fait signe au poète qu'il peut y aller.

LE POÈTE *(d'une voix de tête, très forte)*. — Épithalame !
LE PREMIER MONSIEUR *(à lui-même)*. — Mais il est fou !

Il se précipite vers son protégé. Mimique. Vue d'un groupe.

UNE DAME. — Qu'est-ce que ça veut dire ?
UN ÉRUDIT. — C'est formé de deux mots grecs. Ça veut dire proprement : dessus de lit.
UNE VOIX. — Quel manque de tact !
AUTRE VOIX. — Il devrait au moins attendre les fiançailles.

Un autre monsieur s'approchant du poète...

L'AUTRE MONSIEUR *(au poète)*. — Voyons, jeune homme, vous n'avez rien d'autre à nous réciter ?

À ce moment, entrée presque solennelle du préfet. Le poète, furieux, se retire définitivement.

Le baron de Saint-Auréol échange des salutations avec le préfet.

44

LE PRÉFET. — Mais vous-même, monsieur le baron, si j'ai bien compris, vous n'êtes pas dans le pays depuis longtemps?

LE BARON. — Seulement depuis trois siècles, Monsieur le Préfet. Il est vrai que jusqu'à présent nous vivions surtout à Paris.

Mme de Saint-Auréol s'approche avec Isabelle qu'elle présente au préfet.

LE PRÉFET. — Dans ce beau domaine, Mademoiselle de Saint-Auréol ne doit pas beaucoup regretter Paris.

ISABELLE. — Détrompez-vous, Monsieur. Chaque jour un peu plus...

Un jeune homme de dix-huit ans, très guindé, s'approche du groupe.
Présentation du jeune gandin.

LE PRÉFET. — Ah! voici mon fils.

LE FILS. — M'accorderez-vous la prochaine valse, Mademoiselle?

ISABELLE. — Je ne sais pas danser.

Mme DE SAINT-AURÉOL. — Mais ne l'écoutez pas. Ma fille danse fort bien.

LE PRÉFET. — Dans ce cas, Mademoiselle, vous me permettrez d'enlever ce plaisir à mon fils.

Le préfet entraîne Isabelle hors du champ de l'objectif.
Groupe de dames.

(L'orchestre joue une valse.)

UNE DAME (à sa fille). — Observe la main du préfet. Exactement la position que je t'avais dite.

45

LA FILLE. — Mais, maman, je ne peux tout de même pas dire à mon cavalier : Monsieur, votre main n'est pas à la bonne place. LA PREMIÈRE. — Sa femme ne peut pas l'accompagner pour la bonne raison qu'il est veuf depuis cinq ans... LA DEUXIÈME. — Ah! Vous m'en direz tant....

Deux autres dames.

Arrivée de Gaston de Gonfreville. Un peu avant la fin de la valse, on voit entrer un jeune homme dans le salon. Il regarde les danseurs, Isabelle aux bras du Préfet. Le visage d'Isabelle est fermé, absent. Elle ne regarde ni ne voit personne. Le jeune homme la suit des yeux sans qu'elle s'en doute. Fin de la valse. Le préfet offre son bras à Isabelle pour la ramener à sa place. Elle se recule d'un pas.

ISABELLE. — Non, je vous remercie.

Elle pivote assez brusquement et se dirige vers le buffet, seule (le préfet, décontenancé, partant de son côté).
Gaston de Gonfreville qui n'a pas quitté Isabelle des yeux (elle ne l'a toujours pas vu) la rejoint au buffet. Léger encombrement. Gratien est occupé à servir. Isabelle, un peu en retrait, ne parvient pas à attirer son attention. Gaston de Gonfreville, intervenant, avec un sourire :

GASTON DE G.. — Puis-je vous aider, Mademoiselle ?

46

Isabelle le regarde et sourit à son tour.

Pendant que Gonfreville parle, les gens se sont écartés, leur coupe à la main, et l'accès du buffet se trouve libre, Gratien lui-même inoccupé, lorsque Isabelle répond.

Gratien a entendu la phrase d'Isabelle et s'adresse à elle.

Gonfreville désigne un broc en cristal.

Gratien répond en ne quittant pas Isabelle du regard.

Gratien sert Isabelle, puis Gonfreville qui lui tend un autre verre. Il regarde alors Gonfreville et surremplit son verre qui déborde.

Vague sourire sur les lèvres d'Isabelle.

ISABELLE. — Monsieur, mais je n'ai nul besoin de votre aide.
GASTON DE G.. — Je n'attends pas que vous en ayez besoin pour vous l'offrir. Que dois-je demander pour vous?[19]

ISABELLE. — Oh! Je pense qu'il n'y a pas tant de choix...

GRATIEN. — Champagne; café glacé...

GONFREVILLE. — Et ça?

GRATIEN. — C'est de l'orangeade.
ISABELLE *(à Gratien)*. — Oui, versez-moi de l'orangeade.

ISABELLE. — Voyons, Gratien! Faites attention...
GRATIEN. — Que Monsieur le Comte m'excuse.

19. Légèrement différente, cette réplique de Gaston se trouve dans le manuscrit autographe de la main de Pierre Herbart : « Vous n'y parviendrez pas. Permettez que je vous aide. Que dois-je demander pour vous ? »

Gratien ne les regarde plus mais
les sert avec mauvaise grâce. On
doit sentir qu'il tend l'oreille à
leurs propos.

Tandis qu'ils s'éloignent, Gratien
les suit du regard. En quittant le
buffet, Isabelle croise Olympe et
très rapidement, à voix basse :

Léger redressement du buste
d'Isabelle.

GONFREVILLE. — On en est
réduit à se taire, ou à dire des
banalités. Encore un verre?
ISABELLE. — Non. À présent je
voudrais un peu de champagne.

ISABELLE. — Des banalités... Est-
ce qu'on dit jamais rien d'autre?
GONFREVILLE. — Il ne tiendrait
qu'à nous...
ISABELLE. — Pas ici.

ISABELLE. — Qui est-ce?
OLYMPE. — Comment!... Mais
Gaston de Gonfreville.

Décor. Petit salon où sont dressées les tables de whist.

Le baron de Saint-Auréol joue à
une table avec trois partenaires.
À une autre table, on cause,
après la partie. Trois messieurs
et une dame.

PREMIER MONSIEUR. — Nous
avons Rollinat, Richepin, Harau-
court...
DEUXIÈME MONSIEUR. — Tout
cela est très dépassé.
UN AUTRE. — Je n'oserai pas le
dire trop haut, surtout ici, mais
Les Blasphèmes, moi je trouve ça
très fort.
LA DAME. — Je ne puis souffrir
la grossièreté.

La dame fait un sourire pincé. Elle aurait beaucoup à dire mais préfère se taire.

Scène du bal, à l'arrière-plan. Mme de Saint-Auréol et Olympe, debout dans une embrasure.

Mme de Saint-Auréol est très énervée et, profitant d'un moment où on ne la regarde pas, elle enlève, d'un geste brusque, un de ses marabouts qu'elle tend à Olympe ahurie. Puis elle aperçoit son mari non loin d'elle. Le faux-mollet du baron s'est déplacé et fait une bosse sur le devant du tibia. Mme de Saint-Auréol passe devant son mari.

M. de Saint-Auréol se dissimule derrière la table du buffet pour l'arranger, en s'appuyant sur Gratien dont le regard se perd au loin (peut-être en quête d'Isabelle, ou la voyant).

LE MONSIEUR. — Mais, Madame, ce que vous appelez grossièreté, c'est la vie.

PREMIER MONSIEUR. — Je m'en vais vous dire : la jeune école d'aujourd'hui émascule la poésie.

Mme DE SAINT-AURÉOL. — Je ne comprends pas ce que fait Isabelle.

Mme DE SAINT-AURÉOL. — Narcisse, surveillez votre mollet !

Décor. La nuit. La terrasse.

Isabelle et Gonfreville sont appuyés ou assis sur la balustrade.

ISABELLE. — Vous allez regretter Paris.

GASTON DE G. *(regardant fixement Isabelle).* — Je ne crois pas.

ISABELLE. — Et vous êtes pour longtemps ici?

GASTON DE G.. — Je ne sais plus... Vous vous plaisez à la Quartfourche?

ISABELLE. — J'ai les gens d'ici en horreur. Si j'avais su qui vous étiez, j'aurais refusé de vous parler.

GASTON DE G.. — Oui; mais maintenant c'est trop tard... Isabelle. Alors vous avez quitté Paris pour vivre ici...?

ISABELLE. — Est-ce qu'on peut appeler cela : vivre?

GASTON DE G.. — Vos parents ne vous laissent pas de liberté?

ISABELLE. — Oh! si. Et s'ils ne me la laissaient pas, je saurais la prendre... Le difficile, c'est de savoir quoi en faire.

Olympe entre sur la terrasse par la porte-fenêtre.

OLYMPE. — Ma petite Belle, ta maman s'inquiète : tout le monde remarque ton absence.

ISABELLE. — Loly, je t'en prie, rapporte-moi un verre d'eau. Je t'attends ici.

OLYMPE. — Tu ne te sens pas bien?

ISABELLE. — Dans le salon, j'étouffais un peu.

OLYMPE *(à Gonfreville).* — Venez, Monsieur. Ne restez pas ici.

50

Isabelle regarde Olympe et Gonfreville s'éloigner.[20]

Décor. Après le bal.

En scène, le couple Saint-Auréol,
Olympe et Isabelle.
Mme de Saint-Auréol s'évente ner-
veusement. Olympe éteint des bougies. M. de Saint-Auréol se verse
lui-même un verre de champagne
au buffet. Isabelle est effrondrée
dans un fauteuil, non loin de son
père.
Mme de Saint-Auréol s'adresse à
Olympe qui passe près d'elle.

Mme DE SAINT-AURÉOL. — Et
c'est pour en arriver là que je lui
aurai fait donner les leçons des
plus illustres professeurs.
ISABELLE. — Oh! maman, si tu
savais comme je suis fatiguée!
Mme DE SAINT-AURÉOL. — Tai-
sez-vous, ce n'est pas à vous que
je parle.

M. de Saint-Auréol se retourne,
sa coupe à la main.

M. DE SAINT-AURÉOL. — Mais
Hortense, si tu...
Mme DE SAINT-AURÉOL. — Ni à
toi.

Le père et la fille échangent un
regard.

20. Dans un brouillon de la conversation entre Isabelle et Gaston dans
le manuscrit autographe, Isabelle explique clairement qu'elle n'a pas l'habitude
de suivre : « Allez de l'avant », répond le jeune homme, « Je rejoindrai ». Dans
le découpage dactylographié cette idée est replacée dans leur conversation dans le
sous-bois pendant le « rallie-papier ». Gide tenait évidemment à montrer que
c'était Isabelle qui était en mesure de faire suivre Gaston qui était en fin de
compte plus prudent et conventionnel qu'elle.

Isabelle, d'un geste, montre sa propre tête. En effet, Mme de Saint-Auréol est sans marabouts depuis le début de la scène.

On voit le Saint-Auréol, en pied, avec son mollet à nouveau déplacé. Mais il ne se donne pas la peine de l'arranger.

ISABELLE *(criant à son père).* — Tu ne trouves pas qu'elle est beaucoup mieux sans...

Mme DE SAINT-AURÉOL *(à la cantonade).* — On organise un bal pour elle ; et durant tout le bal on ne sait même pas où elle est.
M. DE SAINT-AURÉOL. — Hé, hé !
Mme DE SAINT-AURÉOL. — Ah ! tenez ! vous m'impatientez avec votre mollet de travers.

Mme DE SAINT-AURÉOL *(à sa fille).* — De mon temps, ce n'est pas impunément qu'on dansait avec un préfet.
ISABELLE. — Mais maman, c'est toi qui as voulu...
Mme DE SAINT-AURÉOL. — ... pas impunément *pour lui.* Je sais ce que je veux dire et personne ne me fera changer d'avis. Laissons-la, Narcisse. Elle est butée. Bonsoir Olympe.

Décor. Chambre d'Isabelle. Nuit.

Isabelle est assise devant la coiffeuse et se brosse les cheveux, en déshabillé. Olympe arrange la couverture pour la nuit. Isabelle parle sans se tourner vers Olympe, mais elle peut la voir dans la glace de la coiffeuse.

Olympe a fini d'apprêter la chambre pour la nuit. Elle se tient debout derrière la chaise d'Isabelle qui continue à se brosser les cheveux distraitement. Les deux femmes se voient mutuellement dans la glace.

ISABELLE. — Dis, Loly : tes parents ont donné un bal quand tu as eu dix-huit ans?
OLYMPE. — Tu sais bien que mes parents étaient pauvres.
ISABELLE. — Sans quoi tu ne serais pas venue à la Quartfourche. Tu ne regrettes pas d'être ici? C'est maman qui t'a demandé de venir?
OLYMPE. — Non. C'est ta tante Floche.
ISABELLE. — C'est gentil de sa part. Elle t'a engagée parce qu'elle se rendait compte que j'ai des parents idiots.
OLYMPE. — Ma petite Isabelle, tu n'as pas à juger tes parents.
ISABELLE. — Avec ça que tu ne les juges pas comme moi.

ISABELLE. — Dis-moi, Loly, est-ce que je suis ce qu'on appelle un beau parti?
OLYMPE. — Tu n'as pas à t'inquiéter de ça.
ISABELLE. — Tout de même, je voudrais savoir.
OLYMPE. — Il n'y a pas que l'argent qui compte.
ISABELLE. — Oui, on dit ça...
Alors toi qui n'avais pas d'ar-

53

À cette phrase d'Isabelle, Olympe se détourne un peu et porte un mouchoir à ses yeux. Isabelle n'a cessé de la surveiller dans la glace.

gent, tu as eu tout de même des prétendants... Quand tu avais mon âge, tu ne devais pas être si mal que ça... avec une belle robe.

Allons bon! Je n'ai qu'une seule amie et c'est moi qui la fais pleurer.

Décor. Le salon du château Saint-Auréol. Jour.

On voit l'embrasure qui mène au petit salon où l'on jouait au whist le soir du bal. Mme de Saint-Auréol et Gaston de Gonfreville, assis, — lui en visite.

GASTON *(expliquant)*. — À vrai dire ce n'est là qu'un jeu. Mais toute la noblesse du pays s'y rendra.
LA BARONNE. — À cheval?
GASTON. — Et c'est à cheval que le jeu se poursuit. Ce n'est pas tout à fait ce que les Anglais appellent un rallie-papier. Il s'agit de poursuivre et de dépister celui qui assume le rôle du cerf...
LA BARONNE. — À cheval.
GASTON. — À cheval lui-même ainsi que les poursuivants. Ceux-ci s'en réfèrent aux bouts de papier que le cerf laisse tomber dans sa fuite. Mais il a de l'avance sur eux, et, comme un vrai cerf, s'ingénie à des feintes qui brouillent sa trace.

54

LA BARONNE. — Et quand il est découvert...

GASTON. — Rassurez-vous, Madame ; il n'y a pas de curée, mais un champagne d'honneur au château où mes parents vous invitent et espèrent que vous nous ferez l'honneur d'assister.

LA BARONNE *(spirituelle)*. — Pas à cheval.

GASTON *(souriant finement)*. — Non. La chasse est finie. Mais je pense que Mademoiselle Isabelle voudra bien prendre part au jeu.

LA BARONNE. — Vous lui en parlerez vous-même. Parce que, d'ordinaire, rien de ce que je lui propose ne lui plaît.

GASTON. — De toutes manières, je n'aurais rien osé lui dire avant d'avoir obtenu votre consentement.

Mme de Saint-Auréol se lève, en faisant signe à Gonfreville de rester assis. Mais il se lève aussi et reste debout devant le fauteuil qu'il occupait. Mme de Saint-Auréol va ouvrir la porte.

En même temps, Isabelle s'avance dans le salon, sortant du petit salon où l'on comprend qu'elle devait se tenir. Elle s'approche de Gonfreville, et, sans lui tendre la main.

LA BARONNE. — On ne sait jamais où elle est. *(criant par la porte ouverte)* Isabelle !

ISABELLE. — J'accepte volontiers.

55

En entendant sa voix, Mme de
Saint-Auréol se retourne, surprise.

LA BARONNE. — Où te cachais-
tu?
ISABELLE. — J'arrangeais les
bouquets du petit salon.
LA BARONNE. — Monsieur Gaston de Gonfreville était venu me
parler d'un projet qu'il va t'expliquer.
ISABELLE. — Inutile. J'ai tout
entendu. Je viens de lui dire que
j'accepte. *(à Gonfreville)* Qui fera
le cerf?
GASTON. — Un jeune homme à
moi qui revient d'Angleterre. Ce
jeu demande beaucoup d'habileté
de la part du cerf.
LA BARONNE. — ... Toujours à
cheval.

Décor. Jour. Devant le perron du château Saint-Auréol.

Gratien tient par la bride le cheval d'Isabelle.
Isabelle, en amazone, s'apprête à
se mettre en selle.

ISABELLE. — Remonte un peu
l'étrier[21].
GRATIEN. — Mademoiselle a
tort. Elle va se trouver gênée.
ISABELLE. — Fais ce que je te
dis.

Isabelle regarde attentivement Gratien tandis qu'il arrange l'étrier.
Puis, à son tour, Gratien regarde

21. Dans le découpage dactylographié la main de Gide a mis à la deuxième
personne du singulier toutes les répliques adressées par Isabelle à Gratien dans cette
scène.

56

attentivement Isabelle tandis qu'il l'aide à se mettre en selle. Leurs regards ne se croiseront qu'un instant et tout à la fin.

Isabelle est en selle. Gratien, un genou à terre, arrange à nouveau l'étrier. On voit sa main frôler un peu complaisamment la cheville d'Isabelle. Avec un demi-sourire, elle lui donne un léger coup de cravache (pas méchant). Gratien lève la tête. À ce moment fugitif leurs regards se croisent à nouveau. Le sourire ébauché d'Isabelle s'éteint aussitôt. Elle donne un sérieux coup de cravache à son cheval qui s'élance.

ISABELLE. — Oui, tu avais raison. Remets-le comme il était.

Décor. Jour. Devant le château Gonfreville.

Groupe d'une douzaine de jeunes gens et jeunes filles ; celles-ci dans des accoutrements divers (certaines en cu.lotte). Isabelle, avec son amazone, est de beaucoup la plus élégante. Gonfreville se tient à ses côtés. À l'arrière-plan, sur la terrasse, le groupe des parents, assis. À quelque distance, palefreniers et lads maintiennent les chevaux. Gonfreville se hausse sur la pointe des pieds (bottes et culotte de cheval) pour s'adresser à tous.

GASTON *(à voix très haute).* — Vous avez bien compris : Hugues, le cerf, va partir à l'avance et semer les papiers sur sa route.

57

Deux domestiques apportent, sur des plateaux, des coupes de champagne toutes servies. On trinque joyeusement, debout.

Nous lui donnons une demi-heure avant de nous lancer à sa poursuite.

Décor. Jour. Sous-bois.

Groupe de cinq cavaliers parmi lesquels Gonfreville et Isabelle. Tous galopent. Mais Isabelle et Gonfreville ralentissent un peu leur allure, ce qui les sépare de leurs compagnons qu'on continue à voir galoper devant eux.
Deux des cavaliers obliquent à droite, dans un sentier. Un seul reste donc visible devant Isabelle et Gonfreville qui ralentissent beaucoup leur allure.
Isabelle regarde Gonfreville.

ISABELLE. — C'est vous qui avez imaginé ce jeu ?
GASTON — Il fallait que je vous revoie.
ISABELLE. — Vous pourriez peut-être m'aider.
GASTON. — À quoi ?
ISABELLE. — Je ne puis supporter l'idée de ressembler plus tard à ces gens-là.
GASTON. — Eux aussi sont peut-être entrés dans la vie avec d'immenses espoirs.
ISABELLE. — Allons donc !
GASTON. — Ils se sont laissés prendre au piège. On accepte ceci ; puis cela... C'est tout de suite qu'il faudrait...

58

ISABELLE. — Qu'il faudrait quoi?
GASTON. — Ne pas se soumettre. Au bout d'un rien de temps, la trappe se referme[22], on se retrouve refait comme un rat. Que dois-je faire?
ISABELLE. — Oh! je sais que d'ordinaire c'est l'homme qui précède et la femme qui suit.[23] Si je vais de l'avant, me suivrez-vous?
GASTON. — Jusque dans la mort, Isabelle.
ISABELLE. — On dit cela... Je crois que les femmes ont plus de courage que les hommes pour sortir des chemins battus.
GASTON. — Qu'est-ce qui vous fait penser cela?
ISABELLE. — La vie des autres... Et, jusqu'à présent, la mienne. Tout y semble apprêté d'avance. Tenez : voici qu'il commence à pleuvoir. Nous allons naturellement nous réfugier dans un pavillon de chasse.
GASTON. — Il y en a un tout près d'ici.
ISABELLE *(avec un rire forcé).* — Et déjà vous vous attendez à m'y voir tomber dans vos bras.
GASTON *(sévèrement).* — Pourquoi riez-vous? Isabelle, le sentiment que j'éprouve pour vous, je n'ai jamais rien connu de plus sérieux dans ma vie.

22. La main de Gide a ajouté les mots « *la trappe se referme* » dans le découpage dactylographié.
23. Avant les retouches de la main de Gide dans le découpage dactylographié la phrase était : « Oh! je sais que d'ordinaire l'homme précède et l'autre suit. »

Décor. L'intérieur, assez délabré, du pavillon de chasse.

Isabelle et Gonfreville sont debout, Isabelle relevant son amazone d'une main.

Pendant toutes les prochaines répliques elle reste debout, un peu de son amazone sur le bras, sa cravache dans la main.

ISABELLE. — Eh bien, il faut reconnaître que, comme confort... Dites donc ; il ne doit pas servir souvent votre pavillon de chasse ?

GASTON. — Oh ! c'est la première fois...

ISABELLE. — Moi aussi. Vous pourriez allumer du feu. Alors, qu'est-ce que vous attendez ?

Gaston s'agenouille devant la cheminée et entasse des branches dans l'âtre. Toujours à genoux, il se retourne vers Isabelle.

GASTON. — Isabelle, vous me prenez peut-être pour un séducteur ?

ISABELLE. — Non ? Qu'est-ce que vous êtes ?

Il allume le feu avant de se retourner vers elle — et s'avance sur les genoux jusqu'à la toucher. Il lui enserre les jambes entre ses bras.

GASTON. — Un amoureux. Oui ; depuis que je vous ai vue, je ne songe qu'à vous, qu'au moyen de m'approcher de vous. Et maintenant que vous êtes là... que nous sommes tous deux seuls... que je vous sens contre moi...

ISABELLE. — Vous parlez beaucoup trop.

60

Elle lui prend soudain la tête
entre les mains et la presse contre
ses cuisses.

Ce n'est pas un amoureux que je
veux... C'est un amant.

Décor. Nuit. Dans la chambre de Gérard.

Gérard lit le *Journal d'Isabelle*.
Un cendrier plein de mégots montre qu'il a beaucoup fumé en
lisant. Sur le bord du cendrier,
une cigarette allumée bascule sans
qu'il y prenne garde et brûle le
tapis de table. Il relève les yeux,
pose le cahier sur la table, se
lève, comme en proie à une vive
émotion, va jusqu'à la table de
toilette et plonge une main dans
le pot à eau, la retire ruisselante
et s'humecte le front. Puis, après
s'être séché, il retourne à la table
et, debout, reprend le journal.
On lit, par-dessus son épaule :
« *Aujourd'hui, on a vidé l'étang.
J'ai dû remettre Gratien à sa
place...* »

*Décor. Jour. Grande agitation autour de l'étang qu'on
vide.*

Il y a là tous les domestiques
mâles, les pantalons relevés jusqu'aux cuisses, pataugeant pour
prendre les poissons, les mettre
dans des seaux qu'on va ensuite
vider dans des tonneaux disposés
sur la rive.
Regardant l'opération, un groupe
composé de Mme de Saint-Auréol,
Olympe et Gaston de Gonfreville. Plus loin, à l'une des extré-

61

mités de l'étang, une femme est assise (on la voit de dos) dans une barque à fond plat, parlant à un homme debout dans l'eau à côté de la barque.

Olympe se tourne vers Gonfreville.

OLYMPE. — On ne le vide que tous les cinq ans.
GASTON. — Qu'allez-vous faire de tous les poissons?
OLYMPE. — On remettra les petits dans l'étang.
LA BARONNE. — La plus belle carpe, nous la ferons porter à vos parents.

La caméra se détourne du groupe pour découvrir la femme de la barque et l'homme. Ce sont Isabelle et Gratien. Celui-ci, les culottes haut relevées, très débraillé, plein de sueur et de boue.

GRATIEN. — J'ai honte devant vous dans ce costume...
ISABELLE. — Pourquoi? Vous me plaisez beaucoup, comme ça... Et aussi quand vous avez vos bottes...
GRATIEN. — Mademoiselle, ce n'est pas bien à vous de vous moquer de moi...
ISABELLE. — Mais je ne me moque pas... Au contraire.
GRATIEN. — La dernière fois, vous avez voulu entrer dans l'eau. Vous ne pouvez pas vous souvenir, mais...
ISABELLE. — Je me souviens très bien. Au retour j'étais fatiguée et vous m'avez prise sur votre dos.
GRATIEN. — Ah! vous n'avez pas oublié?... Mais vous n'êtes plus une enfant... Et il y a une grande distance entre nous.

Elle se débarrasse rapidement de ses souliers qu'elle laisse au fond de la barque.

et tend les deux mains à Gratien pour qu'il l'aide à franchir le bord *très élevé* de la barque. Gratien l'aide à passer par-dessus bord.

On voit la jupe d'Isabelle tremper dans l'eau. Gratien et elle sont contre la barque dont le bord les cache aux regards du groupe Saint-Auréol-Gonfreville. Isabelle s'agrippe à l'épaule nue de Gratien. Soudain il se penche et lui embrasse passionnément le cou sans qu'elle fasse un mouvement pour se défendre.

Isabelle, à son tour, se recule brusquement. Elle longe la barque en se tenant au bord, pour regagner la rive.

ISABELLE. — Tu crois?

... Non ; sans enlever mes bas.

Oh ! comme on enfonce !

GRATIEN *(se reculant).* — Je vous demande pardon. Mais c'est votre faute aussi... Vous ne devriez pas... Vous savez très bien que je vous aime, que je vous ai toujours aimée... Mais moi du moins, je vous respecte...
ISABELLE. — Eh bien, continue !

ISABELLE *(entre ses dents, pour elle-même).* — L'imbécile :

Décor. Dans le parc, la nuit. Grand clair de lune.

Isabelle et Gonfreville sont étendus dans l'herbe, non loin l'un de l'autre, mais nullement enlacés. Il faut qu'on reconnaisse aussitôt leurs visages. La tête d'Isabelle repose dans la paume ouverte de Gonfreville.

ISABELLE. — Je peux bien te le dire à présent : la première fois, je me disais : « Quoi ! c'est ça l'amour ? »
GASTON. — Et maintenant ?
ISABELLE. — Maintenant je pars avec vous, avec toi... Nous montons très haut ; nous montons encore... Oui, jusqu'à l'autre versant.

Décor. Jour. Petit salon des Saint-Auréol.

Le couple Saint-Auréol, Mme Floche, M. de Saint-Auréol fait une réussite devant une petite table. Mme Floche reprise des bas. Mme de Saint-Auréol, assise, ne fait rien. Isabelle, debout.

LA BARONNE. — Je voyais ça venir... et depuis longtemps. Je ne pouvais pas croire que le préfet venait si souvent ici pour le seul plaisir de causer avec Narcisse.

M. de Saint-Auréol sans quitter ses cartes du regard.

LE BARON. — Eh, eh !...
LA BARONNE. — Dès le premier soir, le soir du bal, je l'avais dit à Isabelle : on ne danse pas impunément avec un préfet.

Isabelle frappe du pied.

ISABELLE. — Ah ! Tu répètes toujours cela...

64

Mme Floche repose son ouvrage sur ses genoux.

M. de Saint-Auréol brouille les cartes sur la table.

Elle hausse les épaules.

Mme FLOCHE. — Hortense, pourquoi ne pas lui dire, tout de suite et tout simplement, que le préfet est venu ce matin demander sa main.

ISABELLE. — Pour son petit freluquet de fils ?! C'est un des jeunes gens les plus insignifiants, les plus ridicules que...

LA BARONNE *(stridente)*. — Mais non ! Pour lui !... On oublie toujours qu'il est veuf.

ISABELLE. — Mais moi je n'oublie pas qu'il est vieux et stupide.

LA BARONNE. — Je vous demande un peu quelle importance ça peut avoir.

LE BARON. — Eh ! eh !...

ISABELLE. — Mais enfin, je ne l'aime pas.

LA BARONNE. — L'amour n'a rien à voir là-dedans.

Mme FLOCHE. — Hortense, tu ne devrais pas parler ainsi.

LA BARONNE. — C'est vrai... Mais cette petite me fait sortir de mes gonds.

LE BARON. — Je voudrais bien savoir ce que vous appelez : vos gonds.

LA BARONNE. — Enfin, tout ce que je lui demande, c'est de suspendre sa décision. Je vais demander au préfet d'attendre un peu.
(à M. de Saint-Auréol). — Venez.

65

Le couple Saint-Auréol sort. Isabelle s'assied près de sa tante qui lui prend les deux mains.

Mᵐᵉ FLOCHE. — Ma pauvre petite. Tu sais combien je respecte tes sentiments ; mais il y a une chose dont tu ne te rends peut-être pas compte, parce qu'on évite de t'en parler... c'est que tes parents sont ruinés.

ISABELLE. — Vous ne m'apprenez rien, ma tante... et je me rends bien compte que sans vous...

Mᵐᵉ FLOCHE. — Mais je ne sais combien de temps ma propre fortune... ce qu'il en reste... pourra suffire.

Isabelle ne dit rien. Elle a pensivement dégagé ses mains de celles de sa tante et prend exactement la pose du médaillon.

Mᵐᵉ FLOCHE. — Anselme et moi n'avons besoin de presque rien.

Décor. Nuit. À la porte du pavillon qu'habite Gratien.

Isabelle et Gratien, éclairés par la lumière de l'intérieur (porte ouverte). Il pleut. Isabelle porte un grand châle frileusement serré sur ses épaules.

ISABELLE. — Gratien, tu peux atteler la voiture ?

GRATIEN. — Vous voulez le landau ? Pour quand ?

ISABELLE. — Tout de suite.

GRATIEN. — C'est pour aller loin ? Je demande cela, rapport à la jument.

Visage de Gratien. Il incline légèrement la tête, comme pour accepter (mais n'en pensant pas moins). Isabelle qui allait déjà s'en retourner se ravise. Elle tend la main distraitement, dans la pluie.

Isabelle ramène brusquement sa main contre elle.

ISABELLE. — Je veux que tu me mènes au château des Gonfreville.

ISABELLE. — Tu te dis que je pourrais bien y aller à cheval; mais il pleut.
GRATIEN. — Mademoiselle, quand il s'agit de vous, je ne me dis jamais rien; j'obéis.

ISABELLE. — Oui, je sais. *(Plus bas.)* Fais vite.

Décor. Nuit. Clair de lune brouillé de pluie.
La voiture arrive devant la grille du château de Gonfreville.

Gratien tire les rênes pour faire tourner le cheval. Isabelle se penche alors à la portière.

ISABELLE. — Non. Pas par là. À la petite porte.

Route, devant la petite porte. Gratien descend de son siège et va pour ouvrir la portière à Isabelle. Par la vitre ouverte, Isabelle pose un instant la main sur celle de Gratien.

ISABELLE. — Non. Va. Fais avertir le comte Gaston que je l'attends dans la voiture. J'ai besoin de lui parler.

67

Décor. Nuit. Dans la voiture, Isabelle et Gonfreville.
Gratien, sous la pluie (légère) tient la jument par la
bride.

Dans la voiture. On voit confusément Isabelle et Gonfreville assis côte à côte sur la banquette du fond, leurs visages parfois éclairés quand la lune sort des nuages.

GASTON. — Voyez-vous, Isabelle : chacun de nous est maître de sa destinée.
ISABELLE. — Qu'entendez-vous par là?
GASTON. — Qu'il arrive à chacun les événements qu'il mérite...
ISABELLE. — Ah! je vous en prie, Gaston, ne me faites pas de la morale. D'abord ce n'est pas vrai du tout, ce que vous dites là. Et vous le savez très bien. Si vous ne m'aidez pas, je serai forcée d'épouser le préfet que je déteste.
GASTON. — Mais vous n'avez qu'à refuser.
ISABELLE. — Vous ne connaissez pas mes parents. Ils sauront me contraindre. Il faut que vous m'aidiez. Si vraiment vous m'aimez...
GASTON. — Mais, Isabelle, quoi de plus simple? Je vais demander votre main.
ISABELLE. — Surtout pas!
GASTON. — Pourquoi?
ISABELLE. — Mes parents refuseraient et nous empêcheraient de nous revoir. Oh! je les connais...[24]

24. La main de Gide a ajouté dans le découpage dactylographié la phrase « *Oh! je les connais...* ».

GASTON. — Alors que dois-je faire?

ISABELLE. — Me compromettre. Il faut que je me compromette avec vous. C'est le seul moyen d'en sortir.

GASTON. — Vous compromettre comment?

ISABELLE. — En m'enlevant d'ici.

GASTON. — Vous demandez une chose absurde.

ISABELLE. — Elle vous paraît absurde parce que vous avez peur.

GASTON. — C'est pour vous que j'ai peur, Isabelle. Vous enlever... et ensuite — et pour aller où? pour vivre comment?

ISABELLE. — Me suis-je demandé tout cela quand je me suis donnée à vous? Ah! je vois bien que vous ne m'aimez pas. On ne réfléchit pas tant quand on aime.

Sur cette dernière réplique, vue de la route et de la voiture, *de l'extérieur*. Gratien, debout, tient toujours la jument par la bride, mais il donne du large à la bride pour pouvoir se rapprocher de la portière. On comprend qu'il écoute la conversation d'Isabelle et de Gonfreville et l'on entend la voix d'Isabelle, puis de Gonfreville.

ISABELLE. — ... Alors c'est entendu. Demain minuit...

GASTON. — ... J'entre dans le parc.

69

Ici Gratien se recule, regagnant sa position première à la tête du cheval et l'on revoit l'intérieur de la voiture.

Gaston veut l'étreindre.

Elle se dégage.

ISABELLE. — À ma rencontre. Et nous nous retrouvons au pied du grand hêtre.

GASTON. — L'argent? Vous savez, je n'en ai pas.
ISABELLE. — Mais ne vous inquiétez donc pas. Vous êtes riche. J'emporterai quelques bijoux qui nous permettront de vivre en attendant. J'ai tout prévu... Qu'est-ce qui vous tourmente encore?
GASTON. — Isabelle, se peut-il...[25]

ISABELLE. — Gaston, se peut-il...

... Demain. À présent, partez.

Décor. Le vestibule du château Saint-Auréol. Nuit.

Isabelle rentre de son entrevue avec Gonfreville. Elle sursaute légèrement à la vue de son père qui l'attend.

LE BARON. — Petite masque! Je ne te demande pas d'où tu viens. Et puis avec moi pas besoin d'explication. Un peu plus de confiance en son papa, c'est ça que je demande[26]. Tu vas voir : tout ça va pouvoir très bien s'arranger.

25. Gide a rayé dans son manuscrit autographe les mots « vous n'ayez autant... » qui auraient été sans doute complétés dans la tête du spectateur par « d'argent que vous ne croyez. »
26. La main de Gide a remplacé « c'est ça qui arrangerait les choses » par « *c'est ça que je demande* » dans le découpage dactylographié.

ISABELLE. — C'est tout ce que je souhaite[27], papa.

LE BARON. — Il ne faut tout de même pas me faire plus bête que je suis.

ISABELLE *(riant)*. — Ça, c'est l'affaire de maman.

LE BARON. — Allons, allons, pas d'impertinences. Maintenant va te coucher, et ne fais pas trop de rêves. Il n'y a rien de plus fatigant.

Il embrasse Isabelle sur le front.

Décor. Le matin. La chambre d'Isabelle.

Isabelle est au lit, le plateau de son petit déjeuner sur les genoux. Avec gourmandise elle trempe des mouillettes dans son œuf à la coque. De cette scène doit se dégager une impression douillette de confort provincial. On doit sentir qu'Isabelle est attachée à ses petites habitudes.

Olympe, debout près du lit, fait le geste d'enlever le plateau.

ISABELLE. — Non, tu vois bien que je n'ai pas encore fini. Et puis tu n'es pas si pressée. Reste un peu. Loly, je voudrais te dire...

Olympe est aussitôt toute tendresse.

OLYMPE. — Quelque chose qui ne va pas, ma toute Belle?

ISABELLE. — Loly, je crois que je vais faire une grosse bêtise.

27. La main de Gide a rayé « demande » pour le remplacer par « *souhaite* » dans le découpage dactylographié.

71

Olympe prend le plateau et va le
déposer sur une table. Puis elle
s'assied sur le lit d'Isabelle.

OLYMPE. — Eh là! Si tu vois
que c'est une bêtise, ne la fais pas.

ISABELLE. — Mais c'est que maintenant tout est arrangé pour que
je la fasse.
OLYMPE. — Arrangé avec lui?...
ISABELLE. — Oui... Tu crois qu'il
m'aime, Loly?
OLYMPE. — Il a commencé à
t'aimer dès le premier soir; dès
qu'il t'a vue... Mais toi, l'aimes-
tu?
ISABELLE. — Oh oui!... Je crois.
Écoute, Loly, quand on déteste
quelqu'un, ça, on sait bien qu'on
le déteste. Tiens, par exemple, je
sais très bien que je déteste le
préfet. Mais, dis, tu crois qu'on
sait toujours quand on aime?
OLYMPE. — Quelle drôle de
question. Ma petite Belle divague.
ISABELLE. — Viens plus près de
moi, tout près.

Olympe se rapproche d'Isabelle.

ISABELLE. — Tiens, je m'amuse
beaucoup quand je suis avec
Gaston...
OLYMPE. — Mais, Belle, l'amour
n'est pas un amusement, c'est
une chose sérieuse.
ISABELLE. — Tu crois?[28] Alors
je ne suis pas tout à fait certaine
d'aimer Gaston. Il m'ennuie énormément quand il dit des choses
sérieuses.

28. La main de Gide substitue « *Tu crois?* » à « Tu vois? » dans le découpage
dactylographié.

72

Isabelle entoure de ses bras la
taille d'Olympe et blottit sa tête
contre son épaule.

Olympe s'écarte brusquement.

OLYMPE. — Quand il parle de
t'épouser?
ISABELLE. — Oui. Alors je lui
dis que mes parents ne voudront
pas. Mais depuis ce que papa
m'a dit hier soir je ne suis plus
tout à fait sûre que ce soit vrai.

ISABELLE. — Ce qui est tout à
fait vrai, Loly, sûr et certain,
c'est qu'il doit venir m'enlever ce
soir.

OLYMPE. — T'enlever! Mais tu
deviens folle, Isabelle. Quand vous
pouvez si bien vous rencontrer
où vous voulez et tous les jours...
ISABELLE *(complaisamment)*. —
... M'emmener à Paris, en voiture. Nous roulerons toute la
nuit. À Paris, il connaît un mar-
chand de vins qui ouvre de très
bon matin, où l'on va prendre
un café bouillant. Tout est prévu.
Il a organisé des relais sur la
route; et aussi, tu comprends,
pour échapper aux poursuites.
Ça va être merveilleux, cette
arrivée à l'aube... tu ne trouves
pas?
OLYMPE. — Une grosse bêtise...
voilà ce que je trouve.
ISABELLE. — Oui, tu trouves
aussi...
OLYMPE. — Quand tu seras
mariée, ce ne sera plus une bêtise.
Tu pourras faire ce que tu voudras, quand tu voudras.

73

Olympe hoche la tête gravement.
Isabelle lui prend la tête entre ses
mains et câlinement :

Le ton d'Isabelle se fait de plus
en plus factice.

Elle est prise d'un fou rire.

Elle s'attendrit.

Olympe la contemple. On comprend que tant de versatilité la
consterne.

Isabelle se prépare à sauter du
lit.

Elle saute du lit ; ses pieds nus
cherchent ses mules en duvet de
cygne.

ISABELLE. — Mais cela ne sera
plus la même chose. C'est curieux
que tu ne comprennes pas ça.
OLYMPE. — Une grosse bêtise.

ISABELLE. — Et puis, ça lui ferait
de la peine, à cette bonne Loly,
que j'aime bien. Ça lui ferait un
gros chagrin de ne plus m'avoir
là.

Et à ma tante et à mon oncle qui
ont toujours été si bons pour
moi.

Et mon pauvre papa... Non...
mais tu l'imagines, seul avec
maman déchaînée ?

Crois-tu qu'il attendait mon
retour de Gonfreville hier soir !
Au lieu de me gronder, il m'a
parlé si gentiment... Je crois que
c'est surtout ça qui m'a fait
réfléchir.

OLYMPE. — Ma pauvre petite !

ISABELLE. — Allons, ouste ! Je
vais me lever.

Il faut que j'avertisse...

Olympe a pris le plateau du déjeuner sur la table où elle l'avait posé, tandis qu'Isabelle s'est assise devant son secrétaire. Olympe, le plateau sur les bras, se penche tendrement vers elle, pose un baiser sur son front, puis se retire.[29]
Isabelle écrit, d'une grande écriture appliquée.
On lit :
    « *Tout est changé, ne venez pas.* »
Elle va signer, s'arrête. Tombe en contemplation. Reprend un instant la pose du médaillon. Puis ses traits durcissent et prennent une expression presque féroce. Impatience. Elle va jusqu'à la porte de sa chambre, l'ouvre avec précaution, regarde si elle n'est vue de personne ; bondit vers la chambre de sa mère, quelques portes plus loin dans le couloir, y entre, se dirige vers une coiffeuse dont elle ouvre un tiroir où, à côté des marabouts, qu'elle prend en main avec un méchant rire, se trouve un collier d'émeraudes dont elle s'empare. (Le collier est dans un écrin qu'elle referme soigneusement, après avoir pris le collier à poignée.)

---

29. Il existe dans le manuscrit autographe un brouillon du « breakfast d'Isabelle » (comme Gide l'appelait) où la seule différence substantielle est une confession que fait Isabelle à Olympe qu'elle avait en effet pris des « risques » avec Gaston, « beaucoup... de risques ».

Décor. La chambre d'Isabelle. Le soir tombe.

Isabelle, en tenue de jour, assise
à nouveau devant son secrétaire.
Il importe qu'on comprenne que
c'est le soir. Elle écrit dans son
journal. On lit :
« ... *tout le long du jour, en
attendant le dîner.* »
S'arrête d'écrire, ouvre le tiroir
du secrétaire, prend la lettre à
Gaston de Gonfreville (décou-
vrant ainsi le collier d'émeraudes), relit la lettre, la repose
par-dessus le collier.

Cloche du dîner.

Décor. Le hall du château

où se trouvent les Saint-Auréol
et Olympe, prêts à passer à table.
Isabelle entre.

LA BARONNE. — Eh bien, moi
je commence à croire que je
deviens sourde.
LE BARON. — Allons ! Qu'est-ce
qui vous fait croire ça, chère
amie ?
LA BARONNE. — Aujourd'hui
encore et de nouveau, je n'ai pas
entendu le piano d'Isabelle.
ISABELLE. — En effet, maman ;
je ne l'ai pas ouvert.
LA BARONNE. — Et peux-tu me
dire pourquoi ?
ISABELLE. — Non, maman, je ne
le peux pas.
LE BARON *(étouffé)*. — Eh !
Eh !

76

LA BARONNE. — Pas eu le temps, sans doute... Trop occupée... C'est curieux, cette petite : il y a des jours où on ne peut pas savoir où elle est ; d'autres, où elle est là, mais on ne sait pas où elle a la tête.

LE BARON. — Eh ! Eh !

LA BARONNE *(brusquement agressive).* — Ô vous qui faites le renseigné, vous n'en savez pas plus long que moi.

Isabelle se retire comme une automate. Olympe la suit, inquiète. Olympe rejoint Isabelle au pied de l'escalier que celle-ci s'apprête à monter. Elle tombe dans les bras d'Olympe[30].

ISABELLE. — Loly ! Loly ! Si tu savais comme c'est difficile !

OLYMPE. — Mon oiseau chéri je ne vois pas ce qui te tour mente...

ISABELLE. — Oui, c'est bien ç tu ne vois pas. Personne ne p voir...

OLYMPE. — Ce serait si simp

ISABELLE. — De l'extérieur, peut paraître simple. De l oui... Mais de près, de tout ça fait mal.

OLYMPE *(la regarde très rement).* — Tu as fait por lettre ?

ISABELLE. — Non ; pas e Je m'en occupe tout de su

OLYMPE *(tire sa montre).* as vu l'heure ?

30. Dans le manuscr t autographe quelques mots de ce passage s main de Pierre Herbart.

Gratien a un geste d'impatience.
Il accroche la lanterne à un clou
du mur.

Il se reprend aussitôt.

Isabelle se rapproche de Gratien,
et, sans le regarder, à voix basse,
de criminelle à complice :
Gratien reste interdit.

Gratien lui tend l'enveloppe.
Isabelle frappe du pied.

Gratien hésite, puis, un peu gauchement, déchire en deux l'enve-

GRATIEN. — Et si je ne trouve
pas M. Gaston, qu'est-ce que je
dois en faire, de cette lettre?
ISABELLE. — Mais tu le trou-
veras; il faut absolument que tu
le trouves.

GRATIEN. — Vous ne pouviez
pas l'écrire plus tôt, votre lettre?

Excusez-moi, Mademoiselle, mais
il y a des moments où l'on ne sait
plus du tout ce que vous voulez —
ni même si vous voulez qu'on
vous obéisse. C'est difficile de vous
servir, vous savez... je veux dire de
vous rendre service. Ainsi[32] je me
demande vraiment ce que je dois
en faire, de cette lettre...

ISABELLE. — Déchire-la!

Tu m'entends?...[33]
Je te dis de déchirer cette lettre.

GRATIEN. — Mais alors... il va
venir.
ISABELLE. — Empêche-le... (Perdue d'impatience) Oh!... et puis
fais ce que tu veux.

---

32. La main de Gide a rayé le mot « maintenant » après « ainsi » dans le
découpage dactylographié.
33. Les répliques dès cette phrase jusqu'à la fin de la scène ont été réécrites
par la main de Gide dans le découpage dactylographié. Elles remplacent une
seule réplique (rayée) d'Isabelle : « Je veux que ce soit toi qui la déchire. »

loppe. Il ne sait que faire des morceaux ; n'ose les jeter, les tend à
Isabelle qui hausse les épaules et
pivote pour s'en aller.[34]

Gratien lâche les morceaux de
l'enveloppe qui tombent sur le
sol.

ISABELLE. — Fais ce que tu
veux.

*Décor. Chambre d'Isabelle. Éclairage comme précédem-
ment.*

Après avoir quitté Gratien, Isabelle est rentrée dans sa chambre.
Un peu hagarde, elle erre de part
et d'autre, va à la fenêtre qu'elle
ouvre (vue sur le parc au clair de
lune). Va à son secrétaire, ouvre   *Musique*
le tiroir et se saisit du collier
qu'elle conserve dans son poing
fermé, ouvre son *Journal* et y écrit
une phrase :
    « *Pour éviter une grosse bê-
tise.* »
Puis soudain se lève et court à la
porte, sort. On la revoit dans la

*chambre de M*ᵐᵉ *de Saint-Auréol*

remettant le collier dans le tiroir   *Musique*
où elle l'a volé le matin.

De nouveau dans sa chambre.

Elle regarde l'heure. La pendule
marque onze heures. Avec une

34. Cette scène se termine dans le manuscrit autographe par la phrase :
« Isabelle hausse les épaules, quitte Gratien, le laissant avec les morceaux de lettre
à la main. » Les mots « hausse les épaules » et « le laissant avec les morceaux de
lettre à la main » ont été ajoutés par Pierre Herbart.

sorte de panique elle prend une écharpe qui traîne sur le dos d'un fauteuil et la jette sur la pendule pour dissimuler le cadran. Va au prie-Dieu et se met en prières. Son visage devient inexpressif. Elle égrène un chapelet. Puis soudain se lève, et comme elle a fait tout à l'heure, court vers la porte et sort.

Musique

On la retrouve à la

porte d'entrée du château

qu'elle franchit. Parc baigné de lune. Elle descend le perron quand le bruit d'un coup de feu éclate. Isabelle court dans le parc vers l'endroit où elle avait rendez-vous avec Gaston de Gonfreville. Gratien est debout, son fusil encore à la main. À quelques mètres, sur le sol, le cadavre de Gonfreville.

ISABELLE. — Assassin![35]

Elle fait quelques pas vers le corps.

Gratien s'approche à son tour et, sans rien dire, se baisse et saisit le cadavre par les épaules.

ISABELLE. Où veux-tu le porter?

Gratien se retourne vers elle et, avec exaspération :

GRATIEN. — Vous ne voudriez tout de même pas qu'on le retrouve sous vos fenêtres?... J'aurai tiré sur un voleur qui franchissait le

Mimique d'Isabelle.

35. Cette réplique de la main de Gide remplace « Assassin ! Mon amant ! Mon amant ! » dans le découpage dactyographié.

81

Isabelle rentre

dans sa chambre

quasi hagarde ; les traits durs et comme figés. Elle ferme sa porte à clef. Peu à peu son visage se rassérène jusqu'à devenir angélique (devant un miroir ?). Elle va se verser de l'eau sur les mains. Tandis qu'elle se lave, coups discrets à la porte.

Assez long silence. Isabelle s'essuie les mains à une serviette.

D'un ton conventionnel et indifférent.

mur du verger.[36] Allons ! rentrez chez vous. Ça ne regarde que moi. Partez. Partez...

ISABELLE. — Qu'est-ce que c'est ?
VOIX D'OLYMPE. — C'est moi. J'avais besoin de te savoir[37] là.
ISABELLE. — Tu as entendu ?
VOIX D'OLYMPE. — Entendu quoi ?
ISABELLE. — Rien.

OLYMPE. — Bonne nuit, ma chérie.

ISABELLE. — Bonne nuit !

Décor. Le salon des Saint-Auréol. Jour.

Mme de Saint-Auréol est assise dans un fauteuil, devant la che-

36. Phrase ajoutée de la main de Gide dans le découpage dactylographié. À la fin de la même réplique il remplace « Laissez-moi faire » avec « *Partez. Partez...* ». Il a supprimé sur la même feuille la sortie d'Isabelle murmurant « Mon amant ! Mon amant ! » qui a suivi tout de suite cette réplique.
37. La main de Gide a remplacé « sentir » par « *savoir* » dans le découpage dactylographié.

minée où brûle un feu de bois. Debout, et marchant parfois de long en large en tenant les mains croisées sous les basques de sa jaquette, le juge d'instruction qu'on a vu durant la scène du bal. Il est un peu pontifiant. Toute cette scène, assez statique, doit être animée par les jeux de physionomie des personnages, chacun selon son caractère : la Saint-Auréol, jamais au fait de la situation ; le juge dont on doit sentir qu'il souhaite étouffer « cette pénible affaire » dans toute la limite du possible ; le greffier (quand il paraît) imperturbable mais un peu sournois ; Isabelle enfin, dès son entrée parfaitement maîtresse d'elle-même et tout à fait simple, lors même qu'elle devient cynique.

LE JUGE. — En attendant le résultat de ce supplément d'enquête, il va sans dire que nous maintenons sous les verrous votre garde. Il y a dans ses premières dépositions quelques contradictions et de grossières invraisemblances ; des silences surtout... inquiétants. Et c'est à leur sujet que j'aurai besoin de poser quelques nouvelles questions à votre fille. Mais déjà je puis promettre, ainsi que j'ai fait aux parents de la victime, que je ferai de mon mieux pour donner le moins de retentissement possible à cette très malheureuse affaire.

LA BARONNE. — Alors, Monsieur le Juge, qu'est-ce que vous

83

voulez savoir encore ? Il me semble que tout est bien clair.

LE JUGE. — Eh non ! Madame, tout n'est pas aussi clair que vous dites. Car enfin est-il admissible, je vous le demande, que le comte de Gonfreville ait cherché à pénétrer dans votre parc en franchissant un mur de deux mètres cinquante, alors que...

LA BARONNE. — Mais, Monsieur le Juge, la nuit toutes les portes du parc sont fermées.

LE JUGE. — C'est entendu, Madame : Gratien aurait pris le comte pour un vulgaire cambrioleur. Mais on ne tire pas à balles contre un simple voleur de légumes. D'autre part, Mademoiselle de Saint-Auréol était avisée de cette visite nocturne...

LA BARONNE. — Ah ! ça, par exemple... !

LE JUGE. — C'est ce qui ressort de sa propre déclaration. Voulez-vous lui demander de venir ?

La Saint-Auréol sort indignée pour quérir Isabelle. Le juge reste seul un instant ; il arpente la pièce. Mimique. Rentrée de la Saint-Auréol avec Isabelle.

LA BARONNE. — Alors c'est vrai, ce que prétend Monsieur le Juge ? Tu attendais le comte de Gonfreville ? La nuit ?

ISABELLE. — Je savais qu'il devait venir ; mais, à vrai dire, je ne l'attendais pas.

LA BARONNE. — Ah ! Ah ! vous voyez bien...

84

Se tournant vers Isabelle.

Le juge va jusqu'à l'embrasure qui donne sur le petit salon, fait un signe, et le greffier en sort et prend place aussitôt devant un guéridon.[38]

ISABELLE. — Pour prévenir cette visite, j'avais écrit au comte de ne pas venir.
LA BARONNE. — Comment ! Tu lui avais écrit ?...
LE JUGE. — Je vous en prie, Madame...

La Justice, Mademoiselle, vous sait gré de votre franchise. Au surplus, votre aveu...
ISABELLE *(se rebiffant)*. — Mais ce n'est pas un aveu. Je n'ai rien à avouer. Je dis simplement ce qui est... ce qui était...
LE JUGE. — Et qui a pu être reconnu comme parfaitement exact. La lettre en question a été retrouvée.
LA BARONNE. — Mais Monsieur le Juge, ne croyez donc pas ça.
LE JUGE. — Du moins les morceaux de cette lettre. Oui, dans la grange. Le fait est d'importance. Pouvez-vous nous dire pourquoi et par qui cette lettre a été déchirée... Mais permettez : je voudrais que mon greffier prît note de vos réponses.

LE JUGE. — C'est donc un fait acquis, Mademoiselle ; vous avez écrit au comte de Gonfreville. Comment expliquez-vous que

38. Dans le manuscrit autographe tout ce petit paragraphe est de la main de Pierre Herbart.

85

votre lettre, dont on a retrouvé les fragments, n'ait pas atteint son destinataire?

Greffier, notez.

ISABELLE. — Mais Monsieur le Juge, je ne l'explique pas. Tout ce que je puis vous dire, ou vous répéter, c'est que je l'avais remise à Gratien pour qu'il la porte. Ne l'avez-vous pas interrogé?

LE JUGE. — Greffier, veuillez-nous lire l'interrogatoire de Gratien.

LE GREFFIER. — Oh! cela tient en peu de lignes...

LE JUGE. — Nous ne vous demandons pas de commentaires. Lisez simplement.

Lecture du greffier.

LE GREFFIER. — « Question — La lettre dont voici les fragments retrouvés, en aviez-vous pris connaissance?

Réponse — Non, Monsieur le Juge.

Question — Qui a déchiré cette lettre?

Le prévenu ne répond pas.

Question — Cette lettre, vous avez reconnu qu'elle vous a été remise?

Réponse — Oui, Monsieur le Juge.

Question — Par Mlle de Saint-Auréol? Avec ordre de la porter à Monsieur de Gonfreville?

Réponse — Oui, Monsieur le Juge.

Question — Et cet ordre, voulez-vous nous dire pourquoi vous ne l'avez pas exécuté?

Le prévenu ne répond pas.
Question — Faites attention que votre silence sur ce point entraîne pour vous les conséquences les plus graves. Vous vous en rendez compte, n'est-ce pas ?
Réponse — Oui, Monsieur le Juge. »
C'est tout.
LE JUGE. — Je voudrais, Mademoiselle, vous poser encore quelques questions subsidiaires ; susceptibles peut-être d'éclairer certains points qui demeurent obscurs.
ISABELLE. — J'y répondrai de mon mieux, Monsieur le Juge.
LE JUGE. — Aviez-vous remarqué, dans la conduite antérieure de Gratien, tels actes, tels gestes qui dénotassent une nature violente et passionnée ?
ISABELLE. — Je ne comprends pas bien votre question.
LE JUGE. — Faites appel à vos souvenirs.

Geste au greffier pour lui indiquer de ne pas noter.[39]

Est-il arrivé à Gratien de prendre avec vous certaines libertés...
ISABELLE. — Je ne l'aurais pas toléré.

La Saint-Auréol arrache le crayon des mains du greffier.

LA BARONNE. — Parbleu !...
LE JUGE. — C'est bien ce que je pensais, Mademoiselle. Veuillez excuser ma question. Greffier...

39. Les sept derniers mots sont de la main de Pierre Herbart dans le manuscrit autographe.

87

Le juge fait signe au greffier de noter à nouveau. Celui-ci sort un autre crayon de sa poche.[40]

Ah! encore ceci, et je crois que ce sera tout. Le texte de votre lettre a pu être aisément reconstitué. Six mots seulement précédaient votre signature : « *Tout est changé; ne venez pas.* » Que signifient les trois premiers?

LA BARONNE. — Eh bien, réponds. Tu as entendu ce que Monsieur te demande. Qu'est-ce qui était changé? Moi aussi je serais curieuse de le savoir...

Ce qui fait Isabelle se tourner vers sa mère pour dire :

ISABELLE. — Mais maman, c'est bien simple. Il avait été convenu que Gaston de Gonfreville me rejoindrait cette nuit-là pour m'enlever.

LA BARONNE. — Eh bien, et le préfet!?...

Le juge se lève.

LE JUGE. — Je crois inutile, Madame, de vous importuner davantage.

[*Coupé*]

Décor. Chambre d'Isabelle. Jour.

Isabelle est debout, en corset, les mains plaquées sur son ventre, paraissant souffrir. Mme de Saint-Auréol, derrière elle, lace les cordons du corset.

40. Ces deux phrases sont de la main de Pierre Herbart dans le manuscrit autographe.

Mme de Saint-Auréol tire de toutes ses forces sur les cordons du corset.

Un des cordons du corset claque. Mme de Saint-Auréol fait un geste de dépit.

Isabelle, sur le point de défaillir, a un sursaut de révolte.

Mme de Saint-Auréol sort brusquement. Isabelle, restée seule, s'appuie au montant du lit. D'une main tâtonnante elle cherche un châle, jeté sur le lit, le saisit et s'en enveloppe (il tombe presque jusqu'à ses pieds). Olympe entre et court vers Isabelle qui lâche l'appui du lit pour se jeter contre la poitrine d'Olympe.

LA BARONNE. — ... Du moins nous voici débarrassés de Gratien pour douze ans... Et pour ce qui est de...

... il n'y a peut-être rien d'irréparable.

En attendant, tu vas me faire le plaisir de prendre un corset plus étroit.

ISABELLE. — Maman, tu ne peux pas savoir comme tu me fatigues. J'ai besoin de parler à Loly. Laisse-moi. Va-t'en, va-t'en!

ISABELLE. — Loly, je n'ai que toi; je n'ai confiance qu'en toi. Maman ne comprend pas que je ne peux plus rester ici. Tu m'as promis... Tu ne vas pas me laisser, n'est-ce pas?
OLYMPE. — Moi! te laisser? Mon poulet chéri... La clinique est prévenue. On nous a réservé

89

Isabelle, d'une main, prend la
nuque d'Olympe et lui incline la
tête vers sa bouche.

deux chambres... Et aucune crainte
d'indiscrétion.
ISABELLE. — Partons. Partons
vite.
OLYMPE. — Dès demain soir.

ISABELLE. — Et... penche-toi
contre moi, Loly. Dis-moi tout
bas : La vie n'est pas finie pour
moi, n'est-ce pas ? Si tu savais
comme je me sens jeune.

Décor. Chambre de Gérard.

C'est l'aube. Les volets sont encore fermés ; la lampe est allumée sur la table — mais on doit comprendre qu'il fait jour (peut-être par les rais de lumière qui pénètrent dans la pièce par les fentes des volets).

Musique

Gérard est assis à sa table, la tête dans les mains, le Journal d'Isabelle ouvert devant lui. Projection de la dernière phrase du Journal :

Musique

« *La vie n'est pas finie pour moi.* »

Gérard tourne rêveusement les pages suivantes du cahier. On voit qu'elles sont blanches et l'on doit comprendre que le Journal est fini.

Musique

Gérard se lève, va à la fenêtre et repousse les volets. Le matin radieux sur le parc. C'est vraiment la vie qui commence.

Chants d'oiseaux.

Décor. Le parc. Le matin.

Dans le parc où Gérard se promène, Casimir le rejoint en clopinant.[41]

41. Gide a rayé une version plus détaillée de ces indications scéniques dans le découpage dactylographié : « On retrouve Gérard marchant dans le parc. Il faut que le matin d'été soit au comble de sa splendeur. Gérard a déjà fait une centaine de pas lorsqu'il entend le bruit d'une course derrière lui. Il se retourne. C'est Casimir qui le rejoint en clopinant. »

À mesure que parle Casimir, l'attention de Gérard se relâche. On sent qu'il ne pense qu'à la venue d'Isabelle et se soucie peu du bavardage de l'enfant. Celui-ci le sent et baisse peu à peu la voix, décontenancé. Les dernières phrases, il les prononce d'une voix mal assurée, hésitante.

CASIMIR. — Monsieur Gérard! Monsieur Gérard! J'ai une grande nouvelle...[42] Mais il ne faut pas dire que je vous l'ai dit. Elle va venir.
GÉRARD. — Tu en es sûr?
CASIMIR. — Oh! j'en suis presque sûr.

C'est une lettre que le facteur a apportée ce matin. Ma tante a voulu la cacher. Mais grand-mère s'est fâchée et a crié qu'elle devait être la première à savoir. Alors ma tante a pleuré et est sortie avec Loly. L'Abbé m'a tout de suite emmené. Mais j'ai tout de même compris. Oui, c'est comme ça chaque fois qu'elle vient. Et ce soir-là on m'emmène coucher de bonne heure. C'est dans ma chambre que je l'attends.

42. Voici la version plus détaillée de la réplique de Casimir que la main de Gide a rayée dans le découpage dactylographié :
CASIMIR *(essoufflé).* — Monsieur Gérard! J'ai entendu que vous ouvriez vos volets... Je vous guettais. Hier soir déjà, j'ai essayé de vous parler, mais vous êtes rentré dans votre chambre... Voilà : J'ai une grande nouvelle...
Au sujet du décor de la scène, Gide se demande dans la marge : « De préférence : chambre de Gérard? »

Décor. Chambre de Gérard. La nuit.

Gérard est contre sa porte, guettant les bruits du couloir. Soudain, il se déchausse rapidement, debout, toujours contre la porte. On entend un bruit confus de pas. Gérard entr'ouvre sa porte, puis la pousse complètement, sort dans le couloir. On voit, dans le couloir, une porte se refermer sur une jupe. Gérard court au cagibi attenant à la chambre de Mme Floche. Ce cagibi est vaguement éclairé par l'imposte qui donne dans la chambre de Mme Floche. Gérard monte sur une malle, ce qui lui permet de découvrir, par la vitre de l'imposte, l'intérieur de la chambre de Mme Floche.

Décor. Chambre de Mme Floche, vue d'en haut, comme la voit Gérard.[43]

Mme Floche est dans un fauteuil. Isabelle, assise (beaucoup plus bas) sur un « pouf », est aux pieds de sa tante. Elle s'incline en avant, presque couchée sur les genoux de la vieille dame, lui baisant les mains. Elle relève la tête. Et c'est alors que l'on découvre ses traits. Plus belle encore

43. Gide écrit dans le manuscrit autographe que « la scène avec Mme Floche doit se passer presque " à la muette " — telle que dans le livre. » L'épisode de son récit auquel il fait référence se trouve aux pages 654–65 de l'édition de la « Bibl. de la Pléiade ».

que sur le médaillon et au cours des scènes du « Journal ». Isabelle est habillée assez pauvrement, mais avec des détails excentriques (chapeau...)

Mme Floche se met péniblement en devoir de se lever de son fauteuil. Elle se dirige vers son secrétaire. Isabelle se lève à son tour, va à un miroir et arrange coquettement ses cheveux, modifie l'angle de son chapeau. On voit que Mme Floche sort d'un tiroir une mince liasse de billets de banque. Elle se retourne vers Isabelle, la liasse à la main.

Mais avant qu'elle ait pu tendre les billets à Isabelle, la porte s'ouvre et la baronne de Saint-Auréol paraît. Entrée théâtrale. Mme de Saint-Auréol est en tenue de grand apparat (telle, ou à peu près, qu'on l'a vue au bal), le chef surmonté d'une aigrette, le collier d'émeraudes à son cou, les doigts chargés de bagues. Elle brandit de son mieux un grand candélabre à six branches, toutes bougies allumées, qui répandent des pleurs de cire sur le plancher. À bout de forces sans doute, elle commence par courir poser le candélabre sur la console devant la glace, puis reprend, en quatre petits bonds, sa position d'en-

ISABELLE *(murmurant).* — Ma chère, ma bonne tante.
Mme FLOCHE. — Ma pauvre enfant...

Mme FLOCHE. — N'en parle pas à ta mère...

trée, à la porte. Et elle s'avance
de nouveau, à pas rythmés, solennelle, tenant étendue devant elle
sa main chargée de bagues.[44]

Mᵐᵉ Floche s'est à nouveau effon-
drée dans son fauteuil.

La Saint-Auréol s'avance comme
une harpie vers le fauteuil où gît
Mᵐᵉ Floche.

LA BARONNE *(à sa fille)*. —
Arrière de moi, fille ingrate. Je
ne me laisserai plus émouvoir
par vos larmes.

Et quant à vous, ma sœur, si
vous avez encore la coupable
faiblesse de céder à ses supplica-
tions, aussi vrai que je suis votre
sœur aînée, je vous quitte, je
recommande à Dieu mes pénates
et je ne vous revois de ma vie.

Allons! Donnez-moi ces billets
que vous cherchez à cacher dans

---

44. Au lieu de présenter ce paragraphe en détail dans le manuscrit auto-
graphe, Gide écrit simplement : « Suivre le livre pour la théâtrale entrée de la
Saint-Auréol. » Et évidemment Herbart et lui ont consulté de près le texte du
récit en écrivant la version définitive de la « Scène des bagues ».
Voici le passage dont il s'agit ; on rappelle que la voix narrative est celle de
Gérard :

La pauvre vieille Floche tenait encore d'une main son trousseau de clefs, de l'autre
la maigre liasse qu'elle avait été quérir dans le tiroir ; elle allait se rasseoir dans son
fauteuil, quand la porte, en face de celle où j'étais posté, s'ouvrit brusquement toute
grande — et je faillis crier de stupeur. La baronne apparaissait dans l'embrasure,
guindée, décolletée, fardée, en grand costume d'apparat et le chef surmonté d'une
sorte de plume-marabout gigantesque. Elle brandissait de son mieux un grand
candélabre à six branches, toutes bougies allumées, qui la baignait d'une tremblo-
tante lumière, et répandait des pleurs de cire sur le plancher. À bout de forces sans
doute, elle commença par courir poser le candélabre sur la console devant la glace ;
puis reprenant en quatre petits bonds sa position dans l'embrasure, elle s'avança de
nouveau, à pas rythmés, solennelle, portant loin devant elle étendue sa main chargée
d'énormes bagues. Au milieu de la chambre elle s'arrêta, se tourna tout d'une pièce
du côté de sa fille, le geste toujours tendu, et avec une voix aiguë à percer les
murailles :   *(Isabelle*, p. 655)

95

Elle arrache les billets de la main tremblante de Mme Floche et les approche de la flamme des bougies du candélabre — mais se ravise et les glisse dans son décolleté.

Mme de Saint-Auréol se retourne alors vers Isabelle qui a assisté à toute la scène, comme au spectacle. Mais aussitôt que sa mère la regarde, Isabelle prend un air humble.

Ce disant, Mme de Saint-Auréol, d'un geste habile de sa main étendue, fait tomber trois ou quatre bagues sur le tapis. Comme un chien affamé se jette sur un os, Isabelle se laisse tomber à genoux sur le tapis pour les ramasser. Prosternée aux pieds de sa mère, elle se relève un peu, étend le bras vers le visage de la Saint-Auréol, désignant le collier d'émeraudes, avidement.

Mme de Saint-Auréol sursaute, vipérine.

votre mitaine. Me croyez-vous aveugle, ou folle ?... Donnez-moi cet argent, vous dis-je.

Je préfère brûler le tout plutôt que de lui donner un liard.

LA BARONNE. — Fille ingrate, le chemin qu'ont pris mes bracelets et mes broches, vous saurez l'apprendre à mes bagues.

ISABELLE. — Ton collier ?

LA BARONNE. — Non, mais voyez-vous ça !... Des émeraudes, des vraies ! À cette...
ISABELLE. — Sans moi, tu ne les aurais plus...

96

Isabelle se relève lentement, comme ramassant ses forces pour bondir sur sa mère.

Isabelle se retire jusqu'à toucher la cloison de son dos. On sent qu'elle défendra les bagues s'il le faut. Mme de Saint-Auréol préfère renoncer.

Ayant prononcé cette phrase théâtralement, Mme de Saint-Auréol va au candélabre et éteint les bougies avec un petit éteignoir. En suite de quoi elle va pour sortir. Isabelle, les mains appuyées derrière elle contre la cloison, siffle entre ses dents :

Mme de Saint-Auréol sort comme si elle n'avait rien entendu.

Durant toute cette scène, Mme Floche est restée prostrée dans son fauteuil. Aussitôt seule, Isabelle s'approche d'elle. La pauvre vieille est à demi-évanouie, une main pressée sur son cœur. Isabelle baise rapidement sa tante au front, et court vers la porte.

LA BARONNE. — Comment, je ne les aurais plus ?
ISABELLE. — J'ai eu bien tort de te les rapporter.
LA BARONNE. — Enfant dénaturée ! Rends-moi mes bagues.

LA BARONNE. — Je ne m'abaisserai pas à lutter avec toi ; encore que je sois la plus forte. Va-t'en ! Va-t'en ! Tu ne recevras plus de moi que ma malédiction.

ISABELLE. — Je vous ai toujours détestée.

(Toutes les scènes qui vont suivre, jusqu'au départ de Gérard,
sont brusquement coupées et
doivent donner le sentiment d'une
action qui se déroule en différents lieux à quelques secondes
d'intervalle et parfois même
presque simultanément.)
Le cagibi, où Gérard est encore
perché sur une malle. Ayant vu
partir Isabelle, il veut descendre
précipitamment, mais ébloui par
l'obscurité, il manque de culbu-
ter une malle, la retient — ce qui
lui fait perdre quelques secondes.
Quand enfin il sort dans le *couloir*, Isabelle n'y est plus.
Gérard se penche sur la rampe
de l'escalier et voit, en bas dans
l'entrée, Isabelle et Olympe, parlant. Olympe tient une lampe à
la main. On voit les ombres des
deux femmes sur le mur.[45]

OLYMPE. — Tu vas partir sans
l'embrasser? Tu ne veux donc
pas le voir?...
ISABELLE. — Je suis trop pressée. On m'attend... Ne lui dis pas
que je suis venue.

45. La version de cette scène et de celle qui la suit dans la chambre de Casimir que l'on trouve dans le manuscrit autographe (feuille 85) est, à l'exception
des répliques d'Isabelle et d'Olympe (qui sont isolées sur la feuille 84), tout
entièrement écrite de la main de Pierre Herbart. Ici, exceptionnellement, la
feuille a été pliée verticalement. L'action est présentée dans la colonne de gauche
tandis que le dialogue se trouve dans la colonne de droite. Sans l'intervention
d'Herbart, Gide avait l'habitude de commencer ses dialogues à la ligne. D'ordinaire ses répliques traversent toute la feuille avec l'action (plutôt rare dans cette
version) souvent à la droite de la page. Il nous semble qu'avec cette feuille du
manuscrit Herbart montrait à Gide une façon plus professionnelle de présenter
son texte en même temps qu'il développait plus clairement l'action complexe de
la scène.

Olympe veut remettre à Isabelle une enveloppe qu'elle fait des façons pour accepter.

Olympe doit poser une question, qu'on ne distingue pas — et à laquelle Isabelle répond avec un accent désespéré.

Gérard, bouleversé par le ton d'Isabelle, se penche sur l'escalier et ne peut retenir un cri.

À cet instant la poigne de l'abbé s'abat sur son épaule. Avant que l'abbé ait pu entraîner Gérard, on entend la voix d'Isabelle.

L'abbé entraîne Gérard, presque de force dans le couloir, vers sa chambre.

Il pousse Gérard dans sa chambre et y entre avec lui. Au moment où la porte se referme, on voit Isabelle déboucher de l'escalier qu'elle vient donc de remonter. Elle tient ses jupes à deux mains, marche sur la pointe des pieds.

ISABELLE. — Qu'est-ce que c'est ?
OLYMPE. — Mes petites économies. Si, si, en souvenir de moi. À présent je suis vieille ; qu'est-ce que j'en ferais ?
ISABELLE. — Loly, Loly ! Tu es ce que je laisse ici de meilleur.

ISABELLE. — ... Mais non, Loly, j'ai tout essayé — tout cherché. Je te dis que je suis perdue. Je n'ai personne.

GÉRARD. — Isabelle !

ISABELLE. — Qui est-ce ?

L'ABBÉ. — Vous êtes fou !... Allons ! passez devant. Vous n'avez rien à faire ici... que du désordre.

Elle entre dans une chambre voisine de la cage de l'escalier. C'est la

chambre de Casimir.

L'enfant, dans son lit, est éveillé. Il tend les bras vers sa mère.

La scène est coupée et l'on se retrouve dans

la chambre de Gérard.

Ils sont debout, Gérard et l'abbé, s'affrontant.

ISABELLE. — Chut! Ne fais pas de bruit. On croit que je suis partie.

L'ABBÉ. — L'enfer! C'est tout l'enfer que j'ai vu s'entr'ouvrir devant vous.

GÉRARD. — Votre enfer, c'est pour moi le paradis. Mêlez-vous de ce qui vous regarde.

L'ABBÉ. — Je veille à la paix de la maison. Je ne la laisserai pas troubler par un énergumène.

GÉRARD. — Vous ne vous rendez compte de rien. Il y a dans cette maison une pauvre âme qui se noie et qui appelle au secours.

L'ABBÉ *(goguenard).* — Oui, à chaque fin de mois.

GÉRARD. — Vous n'avez pas de cœur.

L'ABBÉ. — Et vous, pas de cervelle.

La scène est coupée et l'on revoit la

chambre de Casimir.

Casimir est assis dans son lit. Isabelle s'est assise sur le lit.

100

ISABELLE. — Et... est-ce qu'il est beau ?

CASIMIR. — Pas tant que toi.

ISABELLE. — Que tu es sot...

CASIMIR. — ... Mais très beau tout de même.

ISABELLE. — Comment sait-il mon nom ?

CASIMIR. — Tous les deux nous avons beaucoup parlé de toi.

ISABELLE. — Il savait que je viendrais ce soir ?

CASIMIR. — Oh oui ! Je le lui avais dit. Et puis je vais te dire un secret... mais tu ne me gronderas pas ?... Je lui ai montré ton portrait.

ISABELLE. — Quel portrait ?

CASIMIR. — Tu sais bien, le petit, en couleurs... Il l'a tellement regardé.

ISABELLE. — Dis, mon petit Casimir, tu crois que j'y ressemble encore ?

CASIMIR. — Oh ! non, maman... Maintenant tu es beaucoup plus belle.

ISABELLE. — Comment peux-tu le savoir, dans le noir ?

CASIMIR. — Oh ! je le sens bien. Je l'entends.

ISABELLE. — Et... M. Gérard... il habite ici ?

CASIMIR. — Oui, mais il va s'en aller bientôt.

ISABELLE. — Écoute, mon petit. Il fait tellement mauvais... Je crois que je vais attendre le matin dans ta chambre.

CASIMIR. — Oh ! maman, ce sera tellement gentil.

101

ISABELLE. — Oui; là, sur ce vieux canapé. Je sors un instant pour dire à Gratien de renvoyer la voiture.
CASIMIR. — Oh! Tu promets de revenir?
ISABELLE. — Mais oui; tout de suite.

La scène est coupée.

L'on se retrouve dans la

chambre de Gérard.

Gérard est maintenant assis dans un fauteuil. L'abbé marche de long en large.

L'ABBÉ. — Calmez-vous. Vous avez la fièvre. Bientôt vous jugerez tout cela plus raisonnablement.
GÉRARD. — Je sais, je sais, que je pourrais la sauver.
L'ABBÉ. — C'est très bien de vouloir sauver autrui. Mais d'abord il s'agit de ne pas se perdre.

La promenade de l'abbé le ramène constamment devant la fenêtre qu'il paraît surveiller.

L'ABBÉ. — Du reste, il est trop tard. Dieu soit loué! La voici qui s'en va.
GÉRARD. — Ce n'est pas vrai.
L'ABBÉ. — Jeune incrédule. Venez voir.

Gérard va à la fenêtre, l'ouvre, se penche. On voit, à l'extérieur du parc (la chambre de Gérard donne sur les communs qui sont longés par la route) la voiture, en réalité *congédiée* par Gratien, partir. Gérard retourne, sans mot dire, s'asseoir dans son fauteuil. L'abbé est triomphant, mais maintenant qu'il croit avoir gagné la partie, son ton change et, d'autoritaire, devient affectueux.

L'ABBÉ. — Allons! Quittons-nous bons amis. Je puis partir tranquille.
GÉRARD. — Casimir m'a dit que vous nous quittiez.
L'ABBÉ. — Oui, je pars par le premier train. Gratien doit m'y conduire. Mon devoir m'appelle à Bayeux.
GÉRARD. — Et si je partais avec vous? Plus rien ne me retient ici.
L'ABBÉ. — Voici qui me paraît une excellente idée.

La scène est coupée — et l'on voit la

bibliothèque de Floche.

M. Floche, seul, est aux aguets à la fenêtre. Il se retourne soudain et se dirige vers la porte pour sortir.

M. FLOCHE. — Allons, ouf! Partie!

Chambre de Casimir.

Isabelle rentre.

ISABELLE. — Tu vois que ça n'a pas été long. Je vais m'installer près de toi.
CASIMIR. — Tu ne veux pas de moi sur le canapé, contre toi? Ça serait si gentil...
ISABELLE. — Mais moi, ça me gênerait beaucoup. Je vais pousser le canapé tout contre ton lit.

Isabelle dispose le canapé le long du lit de Casimir.

Elle s'y étend à demi, la main posée sur la poitrine de l'enfant.

Na !

Et tu sentiras ma main sur ton cœur.
CASIMIR. — Maman, promets-moi... si je m'endors, tu ne vas pas t'en aller?
ISABELLE. — Ne pense donc pas à ça. Dors.

L'enfant pose ses deux mains sur celle de sa mère. Il s'endort. Isabelle le regarde. Son expression change, devient dure. Puis son visage exprime le dégoût — et elle retire sa main.

Musique

On coupe et l'on se retrouve dans la

chambre de Mᵐᵉ Floche.

Mᵐᵉ Floche est toujours dans son fauteuil, telle qu'elle se tenait lors du départ d'Isabelle. M. Floche vient d'entrer. Il s'arrête, presque sur le seuil, et ramasse un objet sur lequel il vient de marcher. C'est une des bagues de la Saint-Auréol, qui a échappé à l'attention d'Isabelle.

M. FLOCHE. — Je crois que je viens d'écraser une perle.[46]
Mᵐᵉ FLOCHE. — C'est qu'elle est fausse... Ah! mon ami, je voudrais ne pas avoir vu ce que j'ai vu.
M. FLOCHE. — Tu ne te sens pas bien?

46. La main de Gide a remplacé le mot « bague » par « *perle* » dans le découpage dactylographié.

104

Geste de tête de Mme Floche.

M. Floche veut sortir; elle le retient.

On entend du bruit dans le cagibi d'à côté.

Je vais faire venir le médecin? Mme FLOCHE. — Je crains que ce ne soit pas la peine.

Si je ne t'avais pas connu, mon ami, j'aurais pu croire que le mal l'emportait, et de beaucoup, sur cette terre. Je remercie Dieu qui nous a permis de nous rencontrer.
M. FLOCHE. — Mon amie... mon amie... Je crains que nous ne laissions la Quartfourche dans un grand désordre.
Mme FLOCHE. — Il ne peut y avoir de désordre où il n'y a plus rien.
M. FLOCHE. — Je m'inquiète pour Casimir. Cet enfant n'a pas mérité de... Il est bon, ce petit.
Mme FLOCHE. — Tu ne trouves pas que Gratien devrait épouser Olympe?...
M. FLOCHE. — Et recueillir Casimir... Je voudrais le savoir à l'abri. Laissons faire à Dieu.

M. FLOCHE. — Qui est là?
LA VOIX DE L'ABBÉ[47]. — C'est moi, Monsieur Floche, qui viens chercher ma valise. Monsieur Lacase va partir avec moi demain matin.
M. FLOCHE *(un peu douloureux).* — Ah! lui aussi s'en va... Je viendrai vous dire adieu.

47. « La voix de » : mots ajoutés par Pierre Herbart dans le manuscrit autographe.

105

La scène est coupée et l'on se retrouve dans la

chambre de Gérard.

Gérard est couché, endormi, la fenêtre grande ouverte. *Il fait jour.* Petit matin. La valise de Gérard, bien en évidence, et toute prête pour le départ.

Gérard se réveille en sursaut.

M. Floche entre dans la pièce.

Gérard est encore mal réveillé.

Chants d'oiseaux.

Coups frappés à la porte de Gérard.

GÉRARD. — Qu'est-ce que c'est?
VOIX DE M. FLOCHE. — C'est votre vieil ami Floche.
GÉRARD. — Entrez, entrez. La porte n'est pas fermée.

M. FLOCHE. — Je sais que vous allez partir. Excusez-moi de venir si tôt. Mais Madame Floche n'est pas bien et Gratien ramènera le docteur.

GÉRARD. — Ah! Madame Floche...
M. FLOCHE. — Oui, je crains bien que... C'est pourquoi je vous demande de partir un peu plus tôt qu'il n'est nécessaire pour votre train. Est-ce que je vous dérange en restant près de vous?
GÉRARD. — Absolument pas, si vous me permettez de m'habiller devant vous.
M. FLOCHE. — Faites! Faites! Je vous tourne le dos...

Gérard se lève. M. Floche continue à parler sans le regarder.

Ah! je n'aime pas les adieux.

106

Gérard a gagné un coin de la chambre, où est le lavabo et où ses vêtements sont disposés sur une chaise. Jusqu'à la fin de la scène, on ne le verra qu'une ou deux fois, interrompant le geste de boucler sa ceinture ou de nouer sa cravate, parce que certaines intonations de M. Floche l'émeuvent. M. Floche, lui, reste immobile, debout, le dos tourné à Gérard.

La scène est coupée et l'on voit *dans le couloir*, Gratien sortir de la chambre de Gérard en portant sa valise. Puis Gérard et M. Floche sortent à leur tour, se dirigeant à la suite de Gratien, vers l'escalier.

GÉRARD. — Si vous le voulez bien, c'est un « au revoir ».
M. FLOCHE. — Non, mon ami ; c'est un adieu. Madame Floche et moi... savez-vous que nous sommes exactement du même âge ; et que, depuis notre mariage, nous ne nous sommes jamais quittés? La mort ne doit pas plus nous séparer que la vie. Je vous souhaite de trouver une pareille compagne, auprès de qui les épreuves les plus pénibles paraissent aisées à supporter.

M. FLOCHE. — Sans elle, je ne sais ce que va devenir la Quartfourche. Si jamais vous y reveniez... J'ai grand souci de mon petit neveu. Vous avez compris, je crois, que sa mère...
GÉRARD. — Oui, Monsieur Floche.

M. FLOCHE. — Vous avez pu voir cet enfant. Je ne lui parle presque jamais. Vous comprenez, je vis dans mes papiers, dans mes livres...

M. Floche et Gérard sont alors parvenus à l'escalier, sur la première marche duquel ils vont s'engager. Ainsi ils se montrent de profil à qui les regarderait du couloir. On voit alors s'entr'ouvrir la porte de la chambre de Casimir et Isabelle paraître dans l'entrebâillement, regardant Gérard qui ne la voit pas.

GÉRARD. — [48]Il m'en coûte beaucoup de partir sans dire adieu à Casimir. Vous le lui direz, n'est-ce pas... et que je n'oublie pas le petit billet qu'il m'a fait signer... Vous voudrez bien m'excuser auprès de la baronne et du baron.
FLOCHE. — Aucune importance.
GÉRARD. — Laissez-moi vous embrasser, Monsieur Floche.

Gérard donne à M. Floche une rapide accolade. Et ils descendent l'escalier. On voit qu'Isabelle est prête à s'élancer, lorsque la porte qui fait face à l'escalier s'ouvre brusquement. L'abbé paraît, traverse le couloir à grands pas et s'engage à son tour dans l'escalier. Isabelle a repoussé la porte, qu'elle rouvre aussitôt après le passage de l'abbé. Elle court alors à la rampe de l'escalier sur laquelle elle se penche, à l'endroit même où se

48. Cette réplique et celle qui la suit ont été ajoutées de la main de Gide dans le découpage dactylographié.

penchait Gérard dans la nuit. Elle
s'effondre sur la rampe, murmurant pour elle-même.

La scène est coupée — et l'on
voit, *sur le perron*, M. Floche et
Olympe faisant de derniers adieux
silencieux à Gérard et à l'abbé
qui sont déjà en voiture, Gratien
sur le siège.
La voiture part.
M. Floche et Olympe restent un
instant immobiles.
M. Floche a l'air soudain plus
vieux, plus défait. D'une main
un peu tremblante il cherche
l'appui du bras d'Olympe — et
tous deux rentrent au château,
M. Floche tout cassé...

ISABELLE. — Gérard !

FIN

APPENDICE A

SCÈNE REJETÉE : LE GIGOLO[1].

LE GIGOLO. — C'est maigre... Alors quoi? C'est une sans-cœur ta...

ISABELLE. — Je vous prie de ne pas me parler sur ce ton... J'ai déjà fait pour vous beaucoup plus que je ne...

LE GIGOLO. — Oui; je sais : coupable faiblesse, qu'on n'en finit pas de se reprocher... Moi, je m'en vais vous dire franchement : c'est pas du tout mon genre. Je suis plutôt de caractère arrondi. Si je ne vous plais pas, je ne chercherai pas à vous retenir. D'ailleurs c'est pas moi qui vous ai couru après.

ISABELLE. — Que vous êtes ingrat !

LE GIGOLO. — Mais je ne vous demandais rien. On ne repousse tout de même pas les avances d'une jolie femme. Et puis, avouez que vous étiez dans un sale pétrin avant d'avoir rencontré votre notaire. Si je n'avais pas été là...

ISABELLE. — Si vous n'aviez pas été là, je pense qu'il y aurait eu quelqu'un d'autre.

LE GIGOLO. — C'est pas très aimable pour moi, ce que vous dites là.

ISABELLE. — Je ne cherche pas à vous faire plaisir.

LE GIGOLO. — Oh ! Mais vous êtes très mal lunée ce soir. Vous étiez plus gentille à l'aller. Mais je sais ce que c'est : à moi non plus ça ne vaut rien de revoir ma famille. *(mimique : elle se replie de plus en plus; dégoût)* Vous avez besoin de vous secouer un peu. On va aller danser.

ISABELLE. — Ramenez-moi tout de suite à l'hôtel, je vous en prie.

---

1. Cette scène est présentée telle qu'elle se trouve dans le manuscrit autographe du scénario (écriture d'André Gide) conservé dans le Département des Arts du Spectacle, Bibliothèque de l'Arsenal, Paris. Nous remercions vivement les bibliothécaires pour leur permission de publier cette scène et les deux qui la suivent dans les Appendices B et C.

APPENDICE B

SCÈNE REJETÉE : LE NOTAIRE[1].

Hôtel de troisième ordre.

En passant devant le bureau pour prendre sa clef :

LE BURALISTE. — On est venu demander Madame la Comtesse. J'ai fait attendre dans le salon.

(Salon d'hôtel lugubrement banal.)

ISABELLE. — Ah! c'est vous!

LE NOTAIRE. — Excusez-moi de venir vous trouver à une heure aussi peu protocolaire... mais ce n'est pas en notaire que je viens; c'est en ami... Vous attendez quelqu'un?

ISABELLE. — Non; personne. Mais n'est-ce pas, on ne sait jamais...

LE NOTAIRE. — Je voudrais vous dire... tâcher de vous faire comprendre : votre place n'est pas dans cet hôtel.

ISABELLE. — J'y suis descendue par hasard. J'y suis très mal.

LE NOTAIRE. — Surtout il a mauvaise réputation dans la ville.

ISABELLE. — Oui, j'ai bien compris tout de suite; mais au point où j'en suis...

LE NOTAIRE. — Mademoiselle de Saint-Auréol, il m'est intolérable de vous entendre vous exprimer ainsi. Je vous... je voudrais vous défendre contre vous-même.

ISABELLE. — J'ai perdu la partie. Il n'y a plus rien à faire.

LE NOTAIRE. — Permettez-moi de protester... de toutes mes forces.

Il se trouve que, de par ma fonction de notaire, et notaire de vos parents, j'ai été appelé à prendre connaissance de votre situation, peut-être mieux que vous ne la connaissez vous-même.

---

1. Le début de cette scène se trouve sur la même feuille, dans le manuscrit autographe, que la fin de la scène à laquelle nous avons donné le titre « Le Gigolo » dans l'Appendice A.

ISABELLE. — La situation de fortune... oh! c'est le moins important.

LE NOTAIRE. — Hélas! non; cela a une très grande importance. Et je dois bien reconnaître que, sur ce plan du moins, vous avez raison de vous alarmer.

ISABELLE. — Vous voyez bien.

LE NOTAIRE. — Vos parents, vous le savez sans doute, sont complètement ruinés; ils ne maintenaient à la Quartfourche, depuis longtemps, un train de vie décent que grâce à l'inépuisable générosité de M. et de Mme Floche. Inépuisable... j'ai tort d'employer ce mot, car il n'est rien ici-bas qui ne s'épuise : sinon ce qui vient du cœur.

ISABELLE. — Où voulez-vous en venir, Monsieur X?[2]... Car tout ce que vous me dites à présent, je le savais, ou je m'en doutais déjà.

LE NOTAIRE. — On va devoir vendre la Quartfourche. Je ne vois qu'un seul moyen d'éviter cela... que je vous dirai tout à l'heure. Le pauvre enfant que vous avez mis au monde.

ISABELLE (l'interrompant). — Gratien accepte de s'en charger.

LE NOTAIRE. — C'est je crois en effet ce qu'on peut espérer de mieux pour lui. Gratien (oh! je suis très renseigné) s'est toujours montré on ne peut plus dévoué pour vous et pour votre famille... à l'excès même. On lui en a su gré. Aussi bien n'a-t-il été condamné qu'à une peine très légère... relativement. Meurtre involontaire, accidentellement dû à l'exercice de ses fonctions...

Je ne sais, Mademoiselle de Saint-Auréol, si vous vous êtes bien rendu compte de l'habileté déployée par Gratien dans son semblant de défense, et pas seulement par lui, pour détourner de vous toute injure.

ISABELLE. — On aurait bien mieux fait de me condamner.

LE NOTAIRE. — Pourquoi dites-vous cela? Pourquoi vous accuser? Vous savez bien que votre part de responsabilité dans cette mystérieuse affaire n'a pu être que très imparfaitement établie — du moins selon la justice des hommes. Pour le reste, je pense que vous vous en êtes expliquée devant Dieu, dans le secret du confessionnal.

ISABELLE. — Je n'ai expliqué à aucun prêtre ce que je ne pouvais

2. Évidemment Gide eut l'intention de remplacer le « X » par un vrai nom pour le notaire.

m'expliquer à moi-même. Monsieur X, je reviens à ma question : où voulez-vous en venir?

LE NOTAIRE. — Ne me regardez pas, je vous en prie. Ayez la gentillesse de vous lever. Là; maintenant, tournez-moi le dos et écoutez-moi sans faire un geste. Mon étude est la plus importante du département; autrement dit, je suis riche. Accordez-moi votre main : je rachète la Quartfourche; y installe vos parents, vous-même, c'est-à-dire votre ménage, et le petit Casimir, que j'adopte. Je ne vous demande pas de me répondre... oh! pas tout de suite; mais d'y réfléchir.

ISABELLE *(prise au jeu).* — Et Lolo?

LE NOTAIRE. — Lolo?

ISABELLE. — Oh! naturellement, vous ne pouvez pas savoir... C'est ma vieille amie Olympe Verdure. Je ne peux pas me passer d'elle.

LE NOTAIRE. — Comment : vous ne pouvez vous passer d'elle? Mais voici quatorze ans que vous avez quitté la Quartfourche.

ISABELLE. — Elle est venue me rejoindre pour...

LE NOTAIRE. — Ah! oui; pour vos couches. Tout cela c'est du passé. N'y pensez plus.

APPENDICE C

SCÈNE REJETÉE : ÉPILOGUE : LA LETTRE DE CASIMIR[1].

ISABELLE. — Allons, écris. Qu'est-ce que tu attends?

CASIMIR. — Mais maman, je ne peux pas lui dire ça.

ISABELLE. — Pourquoi?

CASIMIR. — Tu sais bien que ça n'est pas vrai.

ISABELLE. — Toujours à ergoter, cet enfant. Tu crois que je ne sais pas mieux que toi ce qui est vrai et ce qui ne l'est pas? Écris ce que je dicte, simplement.
« Depuis que mon oncle et ma tante sont morts »... Est-ce que c'est vrai ça? « et que Loly nous a quittés, je m'ennuierais beaucoup à la Quartfourche.»

CASIMIR. — Tu dictes trop vite... « beaucoup à la Quartfourche »

ISABELLE. — « Si maman n'était pas venue y habiter.»

CASIMIR. — « Y habiter.»

ISABELLE. — « Si vous y veniez, je crois que ça lui ferait un grand plaisir.»

CASIMIR. — C'est vrai?

ISABELLE. — Mais oui, c'est vrai... Quoi? Ça te déplaît de lui écrire ça?

CASIMIR. — Tu ne me permets pas d'ajouter : « mais pas tant qu'à moi »?

ISABELLE. — Non, parce que ça, ça n'est pas vrai.

CASIMIR. — Alors maman, pourquoi est-ce que tu ne lui écris pas toi-même?

ISABELLE. — Ça ne serait pas convenable. Je ne le connais pas ton Monsieur Gérard.

1. Cette scène commence dans le manuscrit autographe sur la même feuille où se trouve — rayé — le départ en voiture de l'abbé et de Gérard, Floche restant sur le seuil de la maison. Légèrement modifiés, le départ de l'abbé et de Gérard et l'entrée de Floche dans le château deviennent les événements qui constituent la conclusion du film dans le découpage dactylographié.

CASIMIR. — Alors pourquoi tu lui dis que...?

ISABELLE. — Tu vois comme tu ergotes toujours. Tu ne comprends donc pas que ce n'est pas moi qui le lui dis, c'est toi.

CASIMIR. — Je n'aime pas qu'on me dicte ce que j'ai envie de lui dire. *(Il sanglote.)*

ISABELLE. — Quelle patience il faut avoir avec ce petit têtu!... Écoute, c'est bien simple; tu ne sortiras pas de cette pièce avant d'avoir achevé cette lettre.

TABLE

117

ARCHIVES DES LETTRES MODERNES
études de critique et d'histoire littéraire
collection fondée en 1957 par Michel MINARD

*

Cette collection n'est pas périodique mais on peut souscrire des abonnements aux cahiers **à paraître** (sans effet rétroactif) regroupés en livraisons d'un nombre variable de pages, donc de cahiers.

(tarif en cours avril 1995)

60 cahiers **à paraître** : FRANCE - ÉTRANGER : **650 F**
+ frais de port
suivant zones postales et tarifs en vigueur à la date de facturation
France : **76 F** Étranger zone 1 (Europe, Algérie, Tunisie, Maroc) : **42 F**
zone 2 (autres pays) : **69 F** en août 1993

les souscriptions ne sont pas annuelles et ne finissent pas à date fixe

services administratifs et commerciaux

MINARD — 45, rue de Saint-André — 14123 Fleury-sur-Orne

la livraison n° 264 de la collection
ARCHIVES DES LETTRES MODERNES
ISSN 0003-9675
a été servie aux souscripteurs abonnés
au titre des cahiers 513–523

ANDRÉ GIDE PIERRE HERBART
le scénario d'*Isabelle*

texte établi, présenté et annoté par

CAMERON D. E. TOLTON

un volume de XVIII + 118 pages (136 p.)
ISBN 2-256-90458-X (06/96)
MINARD 120 F (06/96)

exemplaire conforme au Dépôt légal de juin 1996
bonne fin de production en France
Minard 45 rue de Saint-André 14123 Fleury-sur-Orne
ce volume, édité par l'Association Éditorat des Lettres Modernes,
a été publié par la Société Lettres Modernes
67, rue du Cardinal-Lemoine, 75005 PARIS — Tél. : (1) 43 54 46 09